Técnicas de correo comercial

María Ángeles Palomino

GRUPO DIDASCALIA, S.A.
Plaza Ciudad de Salta, 3 - 28043 MADRID - (ESPAÑA)
TEL.: (1) 416 55 11 - FAX: (1) 416 54 11

Dirección y coordinación editorial: Pilar Jiménez Gazapo.
Adjunta a dirección/coordinación editorial: Ana Calle Fernández.

Asesoramiento para el léxico de Hispanoamérica:
Embajadas de: México (Mª Jesús Urtarán y Pedro Villalón), Argentina (Mª Elena Borasca), Uruguay (Jaime E. Pache), Chile, Paraguay y Bolivia.

Diseño de cubierta y maquetación: Departamento de Imagen de Edelsa.
Director Departamento de Imagen y Producción: Rafael García-Gil.
Fotocomposición y Fotomecánica: TA3 Publicidad.
Ilustraciones: Antonio Martín.
Fotografía portada: Brotons.
Filmación: A. G. Cuesta, S. A.
Imprenta: Pimakius.
Encuadernación: Perellón.

Primera edición: 1997

I.S.B.N.: 84-7711-176-6.
Depósito legal: M-11413-1997

Prólogo

No siempre es fácil escribir una carta comercial, sobre todo en lengua extranjera.

Técnicas de correo comercial ha sido diseñado para familiarizar a los estudiantes de nivel medio/superior con este lenguaje específico: frases hechas, terminología, estructuras...

Cada caso práctico ofrece un abanico muy variado de tareas y actividades motivadoras destinadas a adquirir, de forma progresiva, autonomía y destreza en la redacción de cartas.

Además, a lo largo de todo el libro hemos señalado algunos términos de uso específico en México, y al final del manual ofrecemos un análisis de las expresiones y estructuras propias de la correspondencia comercial en México, y modelos de cartas comerciales de Argentina.

Al final del libro figura la clave de los ejercicios, por lo que puede utilizarse tanto en el aula como de forma autónoma.

La autora

Dedico este libro a Leonor Brell Andreu.

Índice

Fundamentos

¿Qué es?

El Correo Comercial es un medio de comunicación escrita utilizado por las empresas para:

- presentarse,
- solicitar o hacer ofertas,
- definir condiciones,
- concretar negocios,
- etc.

La carta debe ofrecer un aspecto atrayente (distribución equilibrada) y cuidado (sin tachaduras ni tachones), no contener faltas de ortografía y ser:

- clara,
- ordenada,
- precisa,
- cortés,

para dar una excelente imagen de la empresa que la redacta.

¿De qué se compone?

La carta consta de tres partes:

- el encabezamiento,
- el cuerpo,
- el cierre y los complementos,

a su vez divididas en los siguientes apartados:

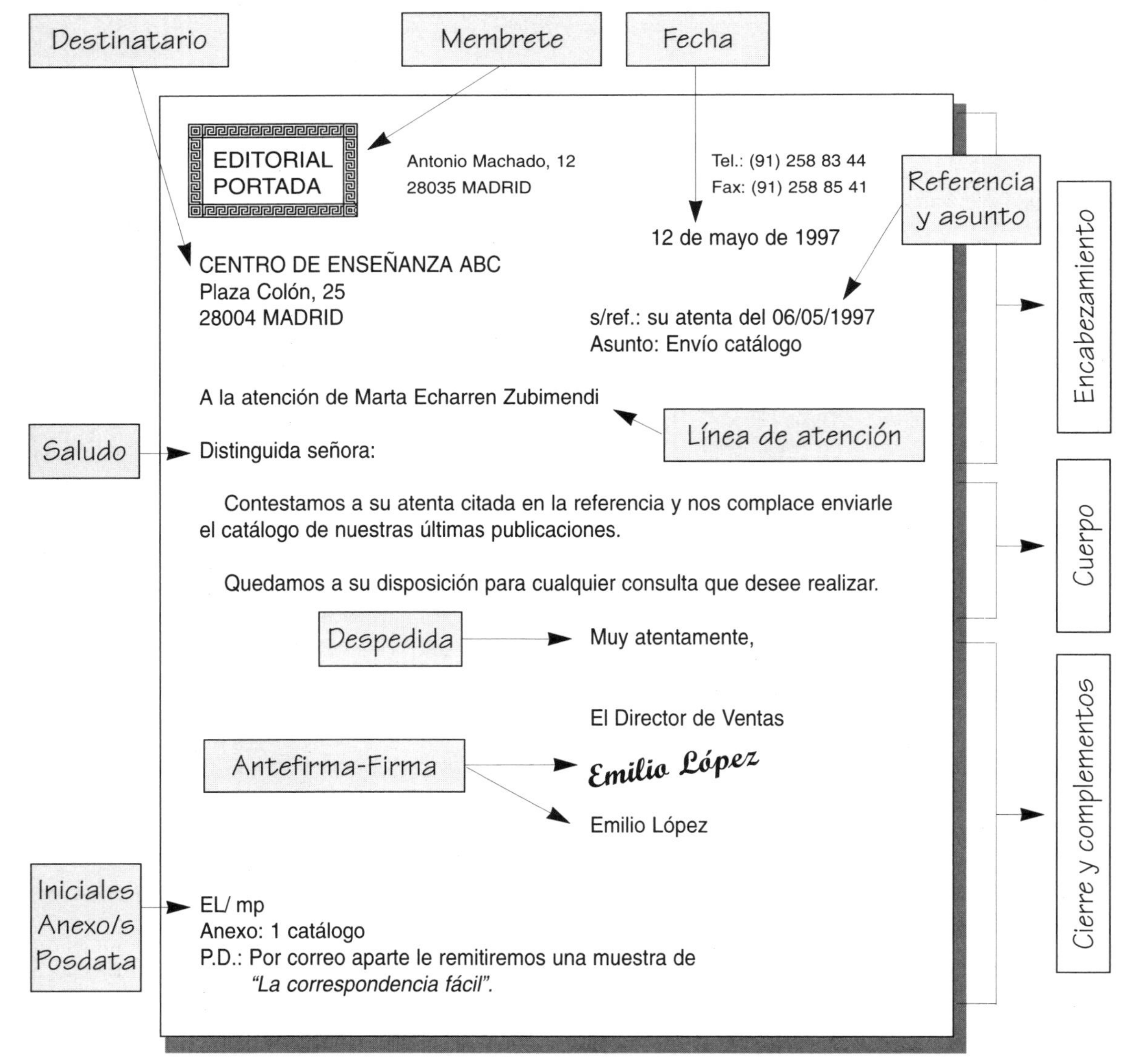

encabezamiento

EL MEMBRETE * **(en México, * membreteado)**

Son los datos del remitente (el que envía la carta):

- nombre de la persona o razón social de la empresa,
- dirección.

También pueden incluirse:

- el logotipo,
- la actividad de la empresa,
- el nombre y la dirección de las sucursales,
- los números de teléfono, fax y télex, la dirección Internet,
- el Código de Identificación Fiscal (CIF),
- el número de inscripción en el Registro Mercantil.

Muchas empresas utilizan papel que consta ya de estos datos. Éste se llama *papel timbrado*.
Los datos pueden aparecer también al pie de la página.

Ejemplos

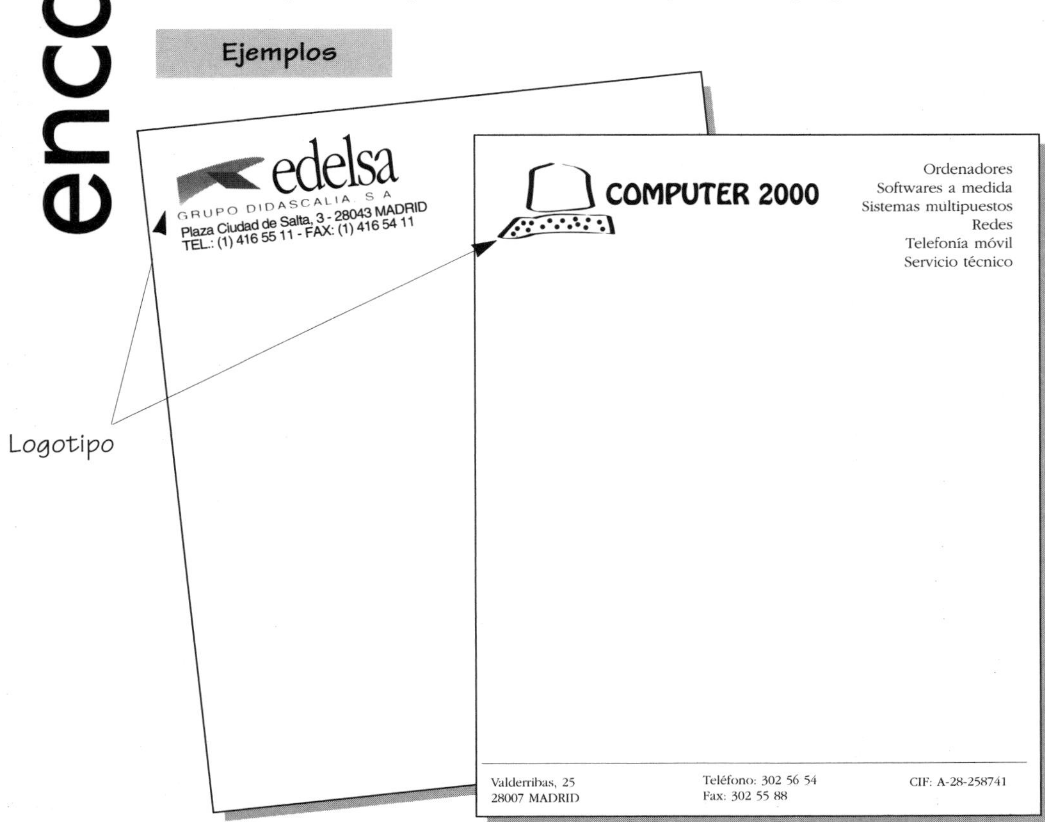

LA FECHA

Lugar, día, mes y año en que se escribe la carta. Puede escribirse a continuación del membrete o antes del saludo.

- *El lugar, o población:* no es necesario indicarlo si es el mismo que el del membrete.
- *El día:* en números.
- *El mes:* entero y en letras minúsculas.
- *El año:* las cuatro cifras y sin punto de separación ni espacio después de los millares.

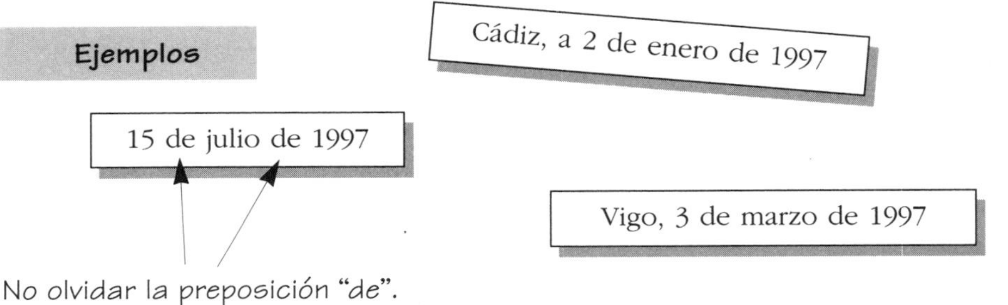

NOMBRE Y DIRECCIÓN DEL DESTINATARIO

- El nombre

Si el destinatario es una persona física:
Don/Doña + nombre + apellidos.

Si el destinatario es una persona jurídica (empresa o sociedad):
Señores + nombre de los socios
o *razón social.*

- La dirección

Nombre de la calle/paseo/plaza/avenida/etc. + número + piso, separados por una coma y un espacio. Delante de los nombres de calle/paseo/plaza/ etc., pueden ir las abreviaturas correspondientes (pág. 9). El número del piso y la letra, que pueden indicarse o no, suelen ir entre paréntesis.

Código Postal + localidad en mayúsculas. Si ésta no es capital, la provincia puede escribirse también entre paréntesis y en minúsculas.

encabezamiento

Abreviaturas utilizadas en las direcciones:

D.	don	Avda.	avenida	n.°	número
D.ª	doña	C/ o c/	calle	s/n	sin número
Sr.	señor	Ctra. o crta.	carretera	entlo.	entresuelo
Sra.	señora	Pza.	plaza	dcha.	derecha
Sres.	señores	P.°	paseo	izq. o izqda.	izquierda

Códigos Postales

El Código Postal consta de 5 dígitos:

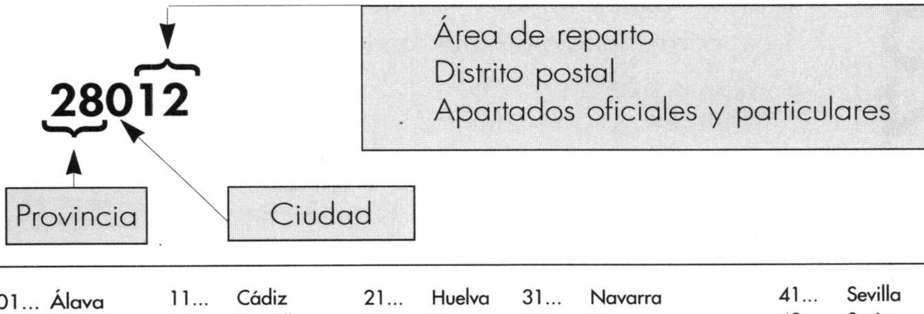

01...	Álava	11...	Cádiz	21...	Huelva	31...	Navarra	41...	Sevilla
02...	Albacete	12...	Castellón	22...	Huesca	32...	Orense	42...	Soria
03...	Alicante	13...	Ciudad Real	23...	Jaén	33...	Oviedo	43...	Tarragona
04...	Almería	14...	Córdoba	24...	León	34...	Palencia	44...	Teruel
05...	Ávila	15...	La Coruña	25...	Lérida	35...	Las Palmas	45...	Toledo
06...	Badajoz	16...	Cuenca	26...	Logroño	36...	Pontevedra	46...	Valencia
07...	Baleares	17...	Gerona	27...	Lugo	37...	Salamanca	47...	Valladolid
08...	Barcelona	18...	Granada	28...	Madrid	38...	Sta. Cruz de Tenerife	48...	Vizcaya
09...	Burgos	19...	Guadalajara	29...	Málaga	39...	Santander	49...	Zamora
10...	Cáceres	20...	Guipúzcoa	30...	Murcia	40...	Segovia	50...	Zaragoza

Ejemplos

Calle (C/ o c/) puede omitirse.

Sres. Santos y Rodríguez
Ubrique, 3
11206 ALGECIRAS (Cádiz)

Don Antonio ALONSO MARTÍN
Ronda Sant Antoni, 65, 4.°
08014 BARCELONA

AED, S.A.
Pza. España, 6
28008 MADRID

encabezamiento

LAS REFERENCIAS

- *s/ref.* (su referencia): Se utiliza únicamente cuando se contesta a una carta. Puede escribirse:
  - el asunto de la carta,
  - la fecha de la carta,
  - lo mencionado en "n/ref." de la carta.

- *n/ref.* (nuestra referencia): Iniciales del autor de la carta (en mayúsculas) y de la persona que la ha mecanografiado (en minúsculas o mayúsculas). También puede escribirse un número (con o sin letras) correspondiente a un código de archivo.

Ejemplos

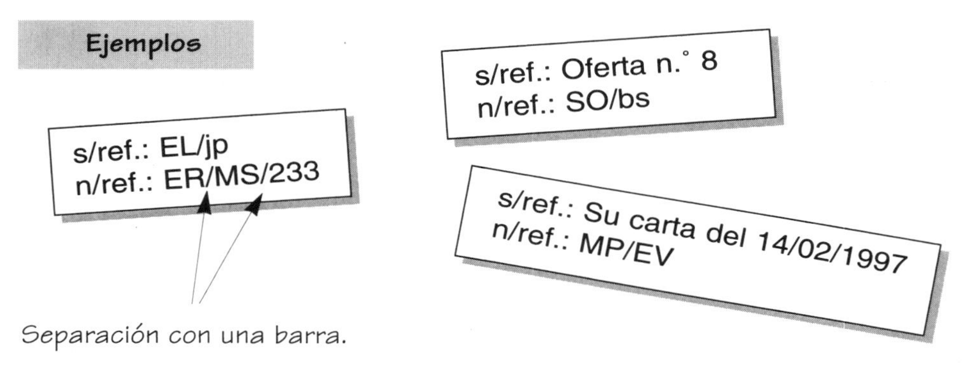

Separación con una barra.

EL ASUNTO

El asunto (u objeto) es un resumen del contenido de la carta.

Ejemplos

encabezamiento

LA LÍNEA DE ATENCIÓN

Se utiliza cuando se quiere que la carta sea entregada a una persona determinada.

Ejemplos

A la atención del
Director de Marketing

EL SALUDO

- La carta va dirigida a una persona:

Señor/Señora:	Saludo formal
Estimado/a señor/a:	Saludo amigable
Distinguido/a señor/a:	Saludo respetuoso

- La carta va dirigida a una sociedad:

Señores:
Estimados señores:
Distinguidos señores:

No olvidar los dos puntos.

cuerpo

LA INTRODUCCIÓN

Son frases que sirven para abordar el asunto de la carta.

Ejemplos

Anunciar, informar
- Nos complace anunciarles que...
- Ponemos en su conocimiento que...
- Por la presente, les informamos que...
- Tenemos el gusto de comunicarles que...

Solicitar
- Rogamos nos manden...
- Solicitamos el envío de...
- Agradeceríamos nos remitieran...

Acusar recibo
- Acusamos recibo de su carta del...
- Obra en nuestro poder su escrito fechado el...
- En respuesta a su solicitud del...
- Nos referimos a su atenta de fecha...
- Agradecemos su pedido del...

Confirmar
- Confirmando nuestra conversación telefónica del...
- Con la presente les confirmamos nuestras condiciones...
- De acuerdo con su fax del...

Informar, responder de forma negativa
- Lamentamos comunicarles que...
- Sentimos participarles que...

LA EXPOSICIÓN

Es la parte en que se desarrolla el asunto. Debe ser: clara, precisa, estructurada.

LA CONCLUSIÓN

Su objetivo puede ser volver a llamar la atención sobre algún punto importante de la carta, expresar un deseo, reiterar disculpas o gracias, ponerse al servicio del cliente, etc.

Ejemplos

Quedamos a su disposición para facilitarle cualquier otra información.

Agradecemos de antemano su atención.

A la espera de sus gratas noticias les saludamos atentamente.

Esperamos haberles complacido.

cierre y complementos

LA DESPEDIDA

La frase de despedida debe ser simple y respetuosa y concordar en género y número con el saludo.

Ejemplos

La frase de despedida no tiene verbo: termina con una coma.

Atentamente,
Cordialmente,
Atentos saludos,

El verbo está en primera persona: termina con un punto.

Le saludo muy cordialmente.
Nos despedimos atentamente.

El verbo está en tercera persona: no se pone nada al final.

Le saluda muy cordialmente

La frase de despedida puede ir unida a la conclusión.

Quedamos a su disposición y aprovechamos la oportunidad para saludarles atentamente.

cierre y complementos

LA ANTEFIRMA Y LA FIRMA

Junto con la firma, se suele poner el nombre de la empresa o sociedad y/o el cargo ocupado por el firmante. Si éste firma por poder, autorización u orden, antes de la firma se escribirán las correspondientes abreviaturas:

- *P.P. (por poder),*
- *P.A. (por autorización),*
- *P.O. (por orden).*

Debajo o encima de la firma, asimismo se pueden indicar el nombre y apellidos del firmante, precedidos o no de la abreviatura *Fdo. (firmado).*

Ejemplos

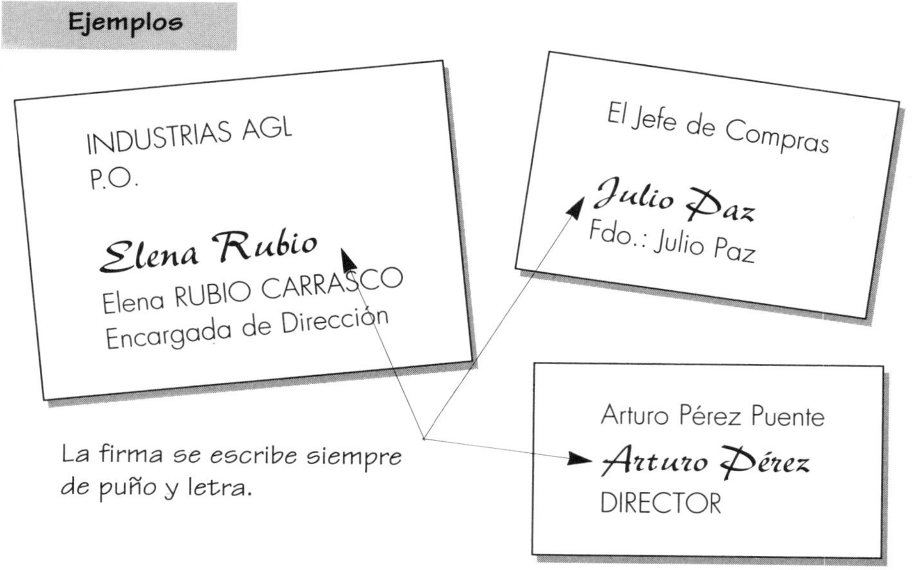

LAS INICIALES

Se trata de las iniciales del autor de la carta (en mayúsculas) y de la persona que la ha mecanografiado (en mayúsculas o minúsculas), separadas por una barra. Van al final de la carta, después de la firma si no figuran ya en el apartado "n/ref.".

LOS ANEXOS

Son los documentos mencionados en la carta y que la acompañan.

Ejemplos

Si se adjunta más de un documento, anexos se pone en plural.

Anexos: 1 folleto técnico
1 lista de precios

Si se adjunta sólo un documento, anexo se pone en singular.

Anexo: 1 factura

LA POSDATA

Se utiliza cuando se quiere añadir un elemento importante o llamar la atención sobre algún punto, una vez redactada la carta y precedida de una de estas abreviaturas:

- *N.B.* (nota bene),
- *P.D.* (postdata),
- *P.S.* (post scriptum).

Ejemplos

P.S.: Nuestro representante pasará a visitarle el próximo lunes.

N.B.: Adjuntamos una documentación técnica.

P.D.: Para más información, llámennos al (91) 897 99 66.

CARTAS DE VARIOS FOLIOS

Cuando la carta conste de más de un folio, se pondrá .../... al final del primero y al comienzo del segundo.

ejercicios

Relacione los saludos con las despedidas correspondientes.

SALUDOS	DESPEDIDAS
Distinguida señora: •	• Atentamente,
Estimado cliente: •	• En espera de su respuesta, la saludamos cordialmente.
Señores: •	• Reciban atentos saludos de
Estimados señores: •	• Sin otro particular, les saludamos cordialmente.
Señor: •	• Aprovechamos la oportunidad para enviarle nuestros más cordiales saludos.

¡A corregir!

1. 16 de marzo 1.997 ....
2. Vigo, 2 de Julio de 1997 ....
3. 3, Calle Alcalá ....
4. 12006 Castellón ....
5. n/ref.: al/er ....
6. Asunto: Les enviamos nuestra factura n.° 125 ....
7. Distinguidos Señores: ....
8. Estimado Sr., ...
9. Atentamente. ....
10. Anexo: 2 facturas ....

Escriba las referencias de las siguientes cartas:

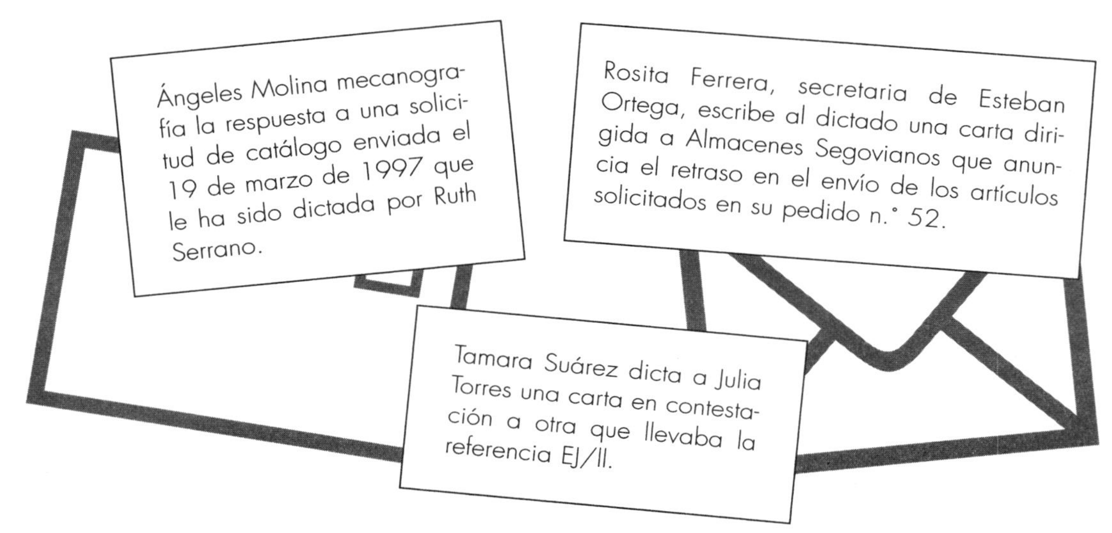

ejercicios

¿Cuál es el asunto de cada una de estas cartas?

Don Rafael Montero escribe a su proveedor habitual, MERCAIBERIA, porque todavía no ha recibido la mercancía indicada en su pedido del 7 de abril de 1997.

La empresa SETECO, S.L. escribe a sus principales clientes para anunciarles que el Sr. Gonzalo Ruiz, su representante, pasará a visitarles a principios del mes de marzo.

Talleres SANTOS, S.L. escriben a TRADINSTANT, S.A. porque quieren saber cuánto cuesta una traducción de 65 páginas del inglés al español.

De estas tres despedidas, señale la que le parezca más adecuada para las siguientes cartas:

- Solicitud de catálogo:

☐ *Muy atentamente,*
☐ *En espera de su respuesta les saludamos cordialmente.*
☐ *Quedamos a su entera disposición y les saludamos atentamente.*

- Envío de muestras a un posible cliente:

☐ *Atentos saludos,*
☐ *Agradeciendo de antemano su amabilidad, le saludamos cordialmente.*
☐ *A la espera de sus pedidos le saluda atentamente.*

- Reclamación por mercancía no recibida:

☐ *Agradeciendo su deferencia, nos despedimos atentamente.*
☐ *Rogándoles nos envíen la mercancía a la mayor brevedad, les saludamos cordialmente.*
☐ *Pidiéndoles excusas por estos contratiempos, les saludamos atentamente.*

estilos

El estilo es la forma de distribuir los diferentes apartados en la hoja.

ESTILO BLOQUE EXTREMO:
Cada línea se escribe desde el margen izquierdo.

ESTILO BLOQUE MODIFICADO:
La fecha, la despedida (corta), la antefirma y la firma están situadas a la derecha.

ESTILO SEMIBLOQUE:
- La fecha, la despedida (corta), la firma y la antefirma están situadas a la derecha.
- Las referencias y el asunto pueden ir a la derecha o a la izquierda.
- La dirección del destinatario puede colocarse a la derecha o a la izquierda, según el sobre que se utilice (con ventanilla o sin ventanilla).
- Cada párrafo está sangrado.

ESTILO ESPAÑOL:
Es igual al estilo semibloque, pero el primer párrafo está sangrado hasta los dos puntos que finalizan el saludo.

Membrete
Fecha
Destinatario
Referencia
Asunto
Saludo:
....
....

....
....
....
....
....
....
....
....
....

....
....

Despedida
Antefirma / Firma
Iniciales
Anexo/s
Posdata

ESTILO BLOQUE EXTREMO

Membrete
Fecha
Destinatario
Referencia
Asunto
Saludo:
....
....

....
....
....
....
....
....
....
....
....

....
....

Despedida
Antefirma / Firma
Iniciales
Anexo/s
Posdata

ESTILO BLOQUE MODIFICADO

ESTILO SEMIBLOQUE

Membrete

Fecha

Destinatario

Referencia
Asunto

Saludo:

Despedida

Antefirma / Firma

Iniciales
Anexo/s
Posdata

Membrete

Destinatario

Referencia
Asunto

Fecha

Saludo:

Despedida

Antefirma / Firma

Iniciales
Anexo/s
Posdata

ESTILO ESPAÑOL

Membrete

Destinatario

Referencia
Asunto

Fecha

Saludo:

Despedida

Antefirma / Firma

Iniciales
Anexo/s
Posdata

Membrete

Fecha

Destinatario

Referencia
Asunto

Saludo:

Despedida

Antefirma / Firma

Iniciales
Anexo/s
Posdata

normas mecanográficas

La carta debe tener una presentación

- **esmerada,**
- **atrayente,**
- **equilibrada.**

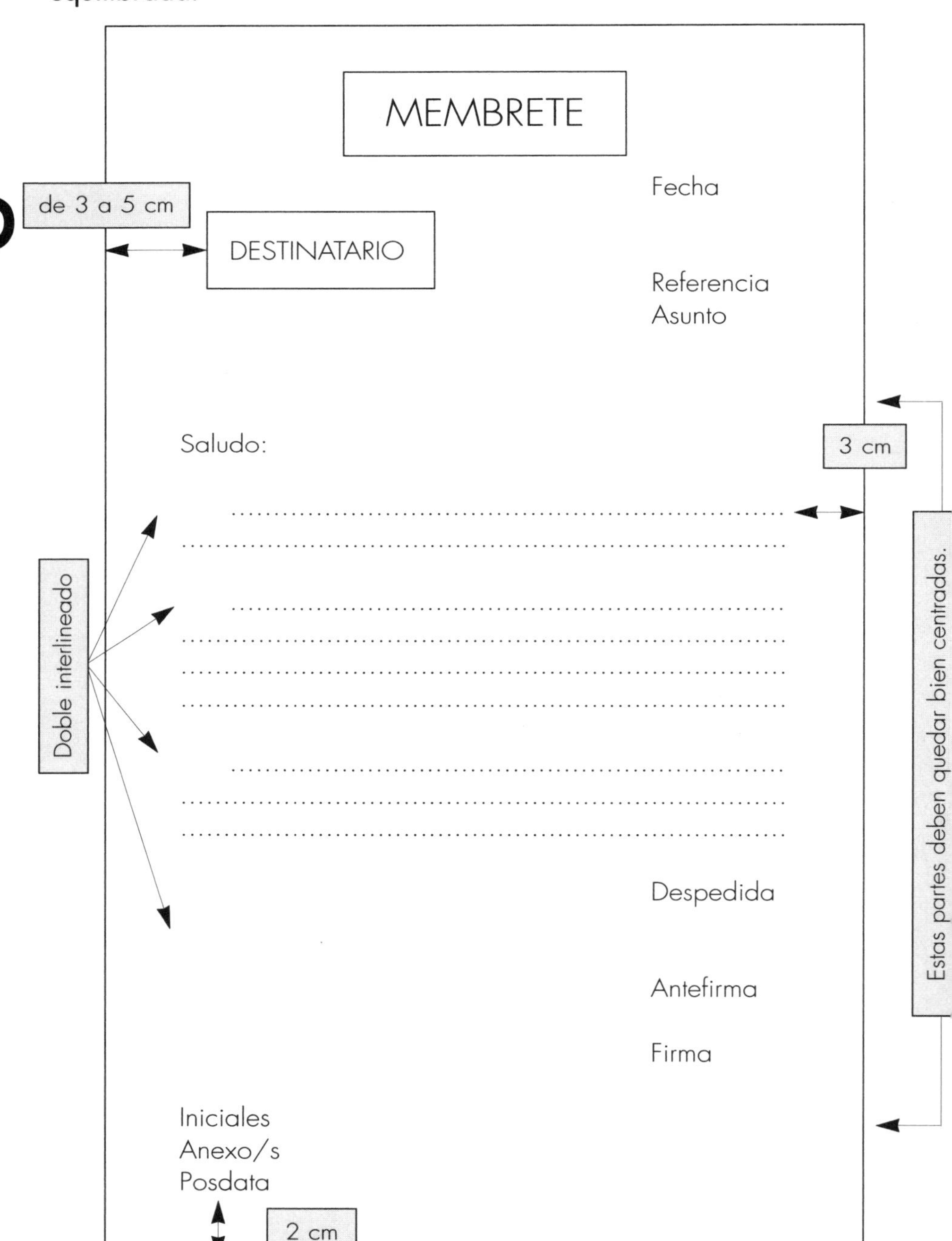

el sobre

ANVERSO

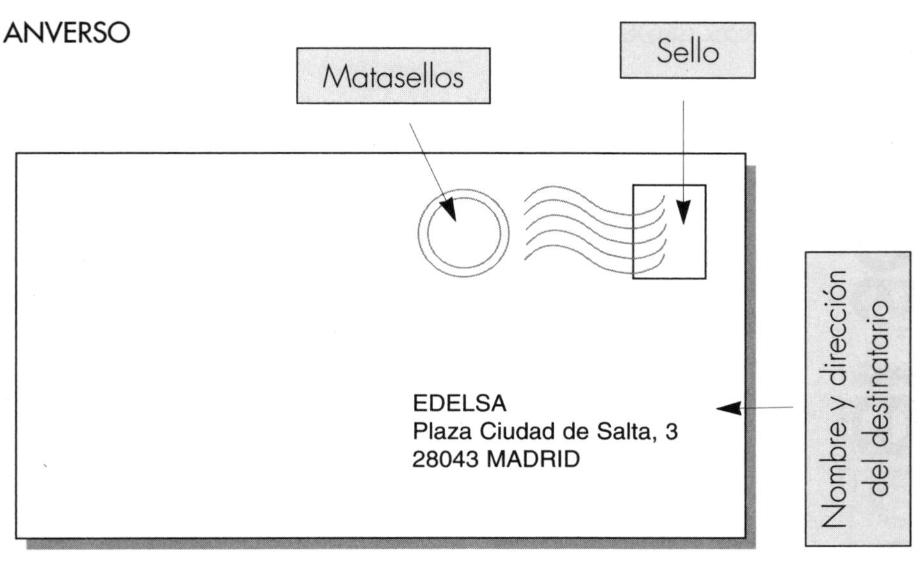

REVERSO

Rte.: Antonio Casas - Azafrán, 4 - 28023 MADRID

Nombre y dirección del remitente

DISTRIBUCIÓN DE LOS ENUNCIADOS

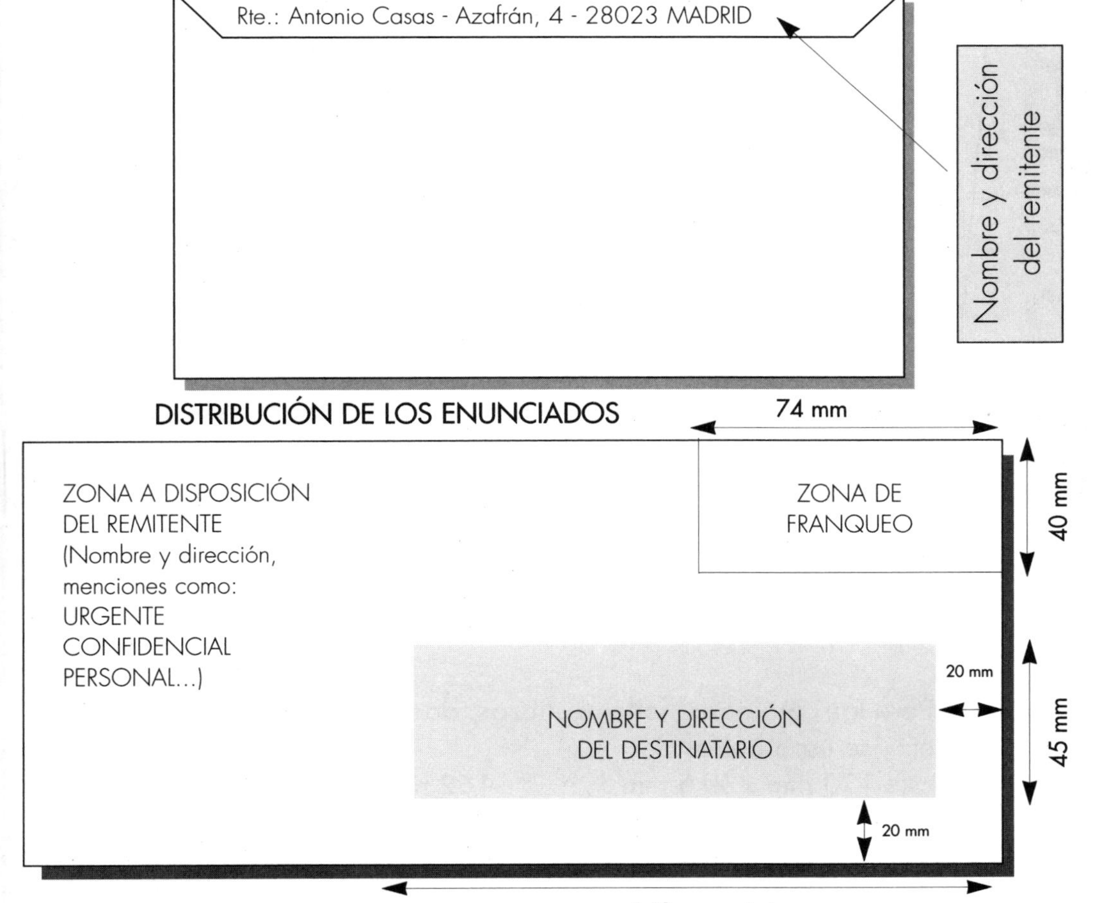

OTROS TIPOS DE SOBRES

- Sobres personalizados: Estos sobres llevan ya impresos en el anverso el nombre, la dirección y el logotipo de la empresa remitente. (En este caso, no se pondrá en el reverso.)

- Sobres de ventanilla (a la derecha o a la izquierda): La ventanilla (o ventana) es la parte rectangular transparente situada a la derecha o izquierda del sobre y que permite ver los datos del destinatario escritos en la carta.

Ejemplo de sobre personalizado y de ventanilla a la derecha

ALGUNOS FORMATOS

- Para las cartas se usan sobres de:
  - 110 mm x 220 mm,
  - 115 mm x 225 mm.

- Para los catálogos, folletos, libros, documentos de varios folios, etc., se usan bolsas de:
  - 120 mm x 215 mm,
  - 229 mm x 324 mm,
  - 162 mm x 229 mm,
  - 250 mm x 353 mm.

Escriba el número correspondiente al objeto:

- ☐ un buzón
- ☐ una franqueadora
- ☐ un abrecartas
- ☐ una dobladora
- ☐ un pesacartas

Ordene estos pasos:

- ☐ Franquear el sobre.
- ☐ Contestar a la carta.
- ☐ Recibir la carta.
- ☐ Echar la carta al buzón.
- ☐ Redactar la carta.
- ☐ Abrir el sobre.
- ☐ Meter la carta en un sobre.
- ☐ Leer la carta.
- ☐ Pegar la solapa del sobre.

el telefax

El telefax (o fax) es un aparato que permite transmitir cualquier tipo de mensaje escrito, fotos, gráficos o dibujos a través de la red telefónica.

Datos de la empresa expedidora

FAX

PARA

DE

Fecha:
n.° de páginas:

TEXTO

Modelo de portada de fax

abreviaturas

artículo	art.
avenida	Avda.
banco	Bco.
calle	C/, c/
carretera	Ctra., crta.
compañía	Cía.
corriente	cte.
cuenta	cta.
cuenta corriente	c/c.
cheque	ch/
departamento	dpto.
derecha	dcha.
descuento	dto.
día(s)	d/.
días fecha	d/f.
días vista	d/v.
director, a	dir/a
doctor, a	Dr./Dra.
documento	doc.
don	D.
doña	D.ª
duplicado	dupdo.
efecto	E/, ef.
ejemplo	ej.
entresuelo	entlo.
envío	e/
etcétera	etc.
factura	fra.
fecha	fcha.
fecha factura	f/f.
firmado	Fdo.
gastos	gtos.
giro	g/
importe	Impte.
Impuesto sobre el Valor Añadido	I.V.A.
izquierda	izqda., izq.
letra de cambio	L/
mi cheque	m/ch.
mi cuenta	m/c.
mi factura	m/fra.
mi letra	m/L.
nota bene	N.B.
nuestra cuenta	n/cta.
nuestra factura	n/fra.
nuestra letra	n/L.
nuestra referencia	n/ref.
nuestro/a	n/
nuestro cheque	n/ch.
número	n.º
página(s)	pág., págs.
pasado	pdo.
paseo	P.º
peseta(s)	pta., ptas.
plaza	Pza.
por autorización	P.A.
por ciento	%
por orden	P.O.
por poder	P.P.
porte pagado	p.p.
postdata	P.D.
post scriptum	P.S.
precio de venta al público	P.V.P.
referencia	Ref.
remitente	Rte.
salvo error u omisión	s.e.u.o.
señor, señora	Sr., Sra.
señores	Sres.
señorita	Srta.
sin número	s/n
sociedad	Sdad.
Sociedad Anónima	S.A.
Sociedad en Comandita	S. en C.
Sociedad Limitada	S.L.
Sociedad Regular Colectiva	S.R.C.
su cuenta	s/c.
su cheque	s/ch.
su factura	s/fra.
su letra	s/L.
su referencia	s/ref.
talón	t/.
teléfono	tel., teléf.
último	últ.
usted(es)	Ud., Uds.
vencimiento	vto.
Visto Bueno	V.º B.º

signos de puntuación

<table>
<tr><th>SIGNOS</th><th>ESPACIOS</th></tr>
<tr><td>Punto
.</td><td rowspan="5">• Antes: No hay espacio.
• Después: Un espacio.</td></tr>
<tr><td>Coma
,</td></tr>
<tr><td>Punto y coma
;</td></tr>
<tr><td>Dos puntos
:</td></tr>
<tr><td>Puntos suspensivos
...</td></tr>
<tr><td>Interrogación
¿ ?</td><td rowspan="4">• Dentro: No hay espacio.
• Fuera: Un espacio.</td></tr>
<tr><td>Exclamación
¡ !</td></tr>
<tr><td>Comillas
“ “</td></tr>
<tr><td>Paréntesis
( )</td></tr>
<tr><td>Guión
–</td><td>• En las palabras compuestas:
No hay espacio ni antes ni después.
• Para dividir las palabras al final de renglón:
No hay espacio antes.</td></tr>
</table>

¿CÓMO SUBRAYAR?

- Una palabra: Se subraya por completo, pero no se subrayan los signos de puntuación si los hay.
  Ej.: Condiciones:

- Varias palabras: Se subraya todo, incluyendo los espacios y los signos de puntuación situados entre las palabras, pero no los que están antes o después.
  Ej.: Nuestras condiciones de pago, entrega y devolución son:

correo comercial

1

caso práctico

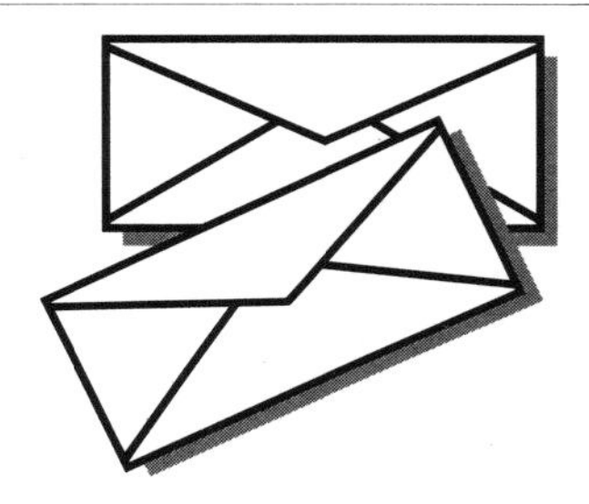

el empleo

Va a aprender a:

- *Responder a una oferta de empleo.*
- *Solicitar un puesto de trabajo.*

Mundo profesional

Ordene esta carta y escríbala según el modelo de la derecha.

1 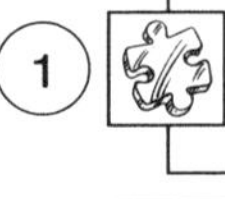 el anuncio relativo a un puesto de Secretaria Bilingüe que han publicado hoy en el diario *Sur*.

2 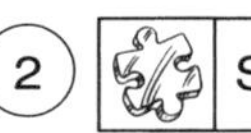 Señores:

3  Quedo a su disposición para una entrevista que me permitirá

4 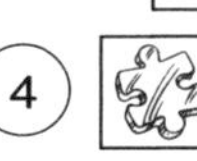 Anexo: 1 *curriculum vitae*

5  En efecto, poseo amplios conocimientos de la ofimática (Word, Excel, Access) y hablo francés con fluidez.

6 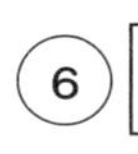 facilitarles cuantos detalles deseen.

7 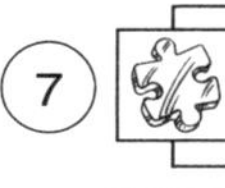 Me dirijo a ustedes porque me ha interesado

8  Adjunto les envío mi *curriculum vitae.*

9  En espera de sus noticias, les saluda muy atentamente

ALFATECH, S.L.

precisa

SECRETARIA BILINGÜE
Español / Francés

REQUERIMOS:
Perfecto dominio del francés.
Conocimientos informáticos.
Excelente presencia y dinamismo.

OFRECEMOS:
Contrato de trabajo indefinido.
Remuneración atractiva.

Enviar CV a
ALFATECH, S.L.
Departamento de Personal
Zorrilla, 23 - 29012 MÁLAGA

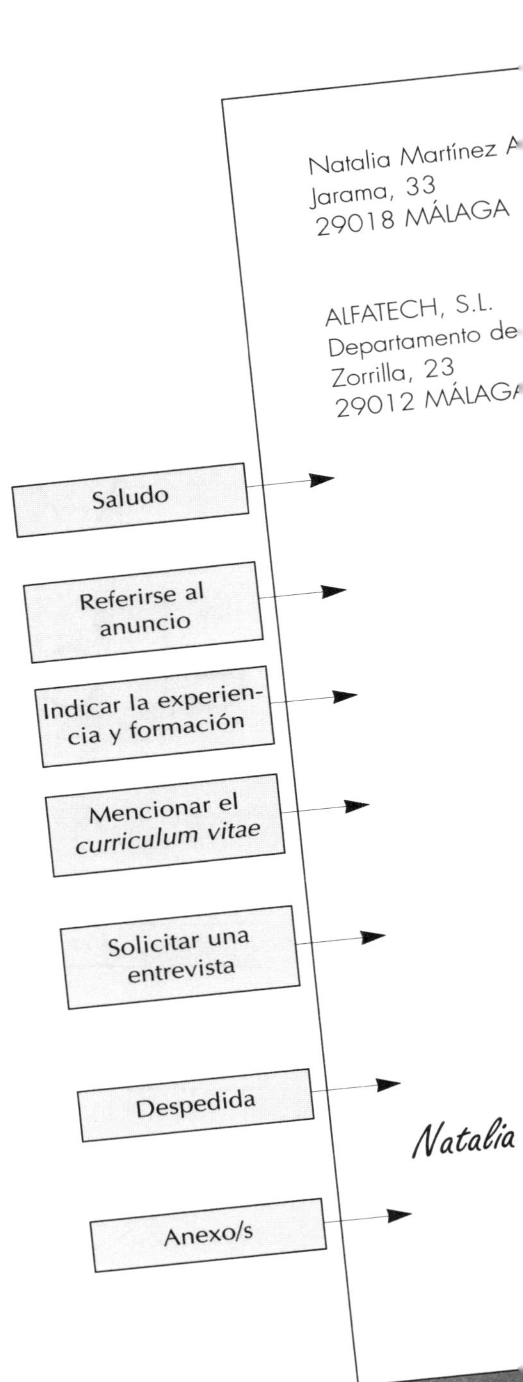

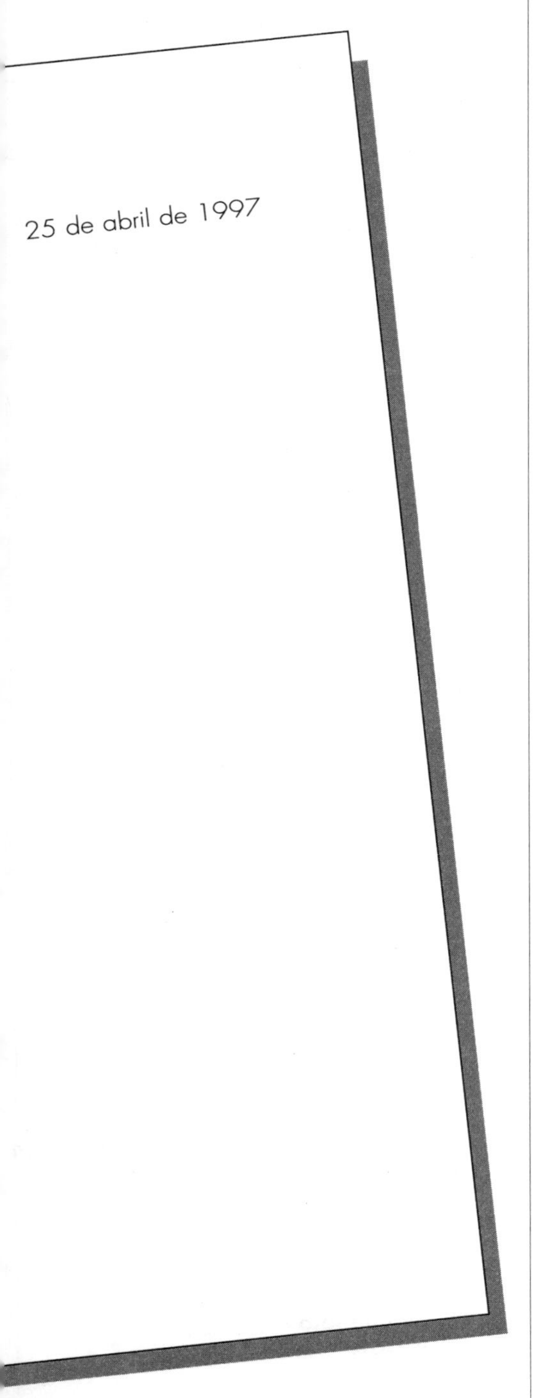

Distribución de una carta de presentación

en resumen

Vuelva a leer la carta y conteste estas preguntas:

- ¿Quién la escribe?

....

....

- ¿A quién va dirigida?

....

....

- ¿Cuándo se escribió con respecto a la publicación del anuncio? ¿Por qué?

....

....

- ¿Cuál es su objetivo?

....

....

- Las palabras son:

sencillas ☐
rebuscadas ☐
impropias ☐
adecuadas ☐

- El tono es:

familiar ☐
cortés ☐
servil ☐
sincero ☐

- Ortografía y sintaxis:

hay faltas ☐
no hay faltas ☐

- Las frases son:

cortas ☐
largas ☐

- ¿Es fácil de comprender?

....

....

- ¿Qué primera impresión producen la naturalidad y la cortesía del remitente?

....

....

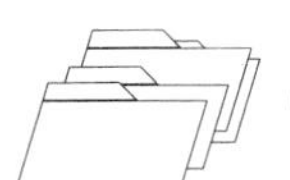

carpeta de prácticas

Aquí tiene tres ofertas de empleo. Conteste a cada una de forma diferente escogiendo una palabra o expresión de cada número (página 31) y realizando los cambios necesarios.

Distinguidos señores:

Les envío esta carta 1 - 2 - 3 en 4 del 19 de diciembre de 1997 en el/la que ofrecen un puesto de *programador*.

En efecto, como 5 al leer el 6 adjunto, mi formación y experiencia 7 a este tipo de 8, ya que poseo el título requerido y 9 *diseñador de programas* durante 7 años.

10 a su disposición para 11 toda la información adicional que ustedes necesiten.

12 - 13, les saluda muy 14

Francisco Rodríguez

IMPORTANTE GRUPO ASEGURADOR PRECISA

RESPONSABLE DE CONTABILIDAD

SE REQUIERE

- Diplomado en contabilidad general y analítica
- Dominio del nuevo PGC
- Experto usuario en informática
- Experiencia mínima de 5 años

Remitir CV urgentemente al
Apartado de Correos 93
48080 BILBAO

DON CONSULTORES

Selecciona para empresa de importación
SECRETARIA

Tendrá como funciones la coordinación y apoyo del departamento comercial.

SE REQUIERE
- Experiencia demostrable
- Inglés y francés fluidos
- Buena presencia

SE OFRECE
- Incorporación inmediata
- Contrato fijo
- Posibilidades de promoción

Enviar CV con foto reciente a:
DON CONSULTORES
Pº de la Habana, 162
28036 MADRID

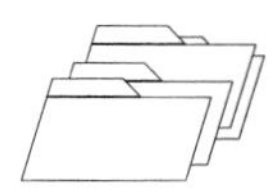

Empresa multinacional líder en aislamientos necesita para Madrid

UN TRADUCTOR TÉCNICO ESPAÑOL - INGLÉS

La persona seleccionada se hará cargo de la traducción al inglés de todos los folletos técnicos.

PEDIMOS
- Edad: 28/35 años
- Experiencia profesional
- Manejo del tratamiento de texto

Interesados enviar CV con teléfono de contacto a:
Apdo. de Correos 25 - 28050 MADRID,
indicando la referencia TR22.

1
- con referencia a
- con relación a
- en relación con
- en respuesta a

2
- el anuncio
- la oferta de trabajo

3
- inserto/a
- incluido/a
- publicado/a

4
- el periódico *El País*
- la revista *Actualidad Económica*
- el semanario de *ABC*

5
- comprobarán
- notarán
- advertirán
- observarán
- apreciarán

6
- *curriculum vitae*
- currículo

7
- se adecuan
- corresponden

8
- trabajo
- puesto
- actividad
- tarea
- función
- empleo

9
- me he desempeñado como
- he trabajado como
- he ocupado el puesto de
- he ejercido el cargo de

MÉXICO:
he laborado como

10
- Estoy
- Quedo

11
- facilitarles
- proporcionarles

12
- En espera de
- A la espera de
- Esperando

13
- su respuesta
- su contestación
- sus noticias

14
- cordialmente
- atentamente

Complete este cuadro con palabras de la misma familia.

profesión	
labor	
entrevista	
capaz	
experiencia	
conocimientos	
licenciatura	

• experimentado • profesional • conocedor • laboral • capacitar
• profesionalidad • capacidad • entrevistador • licenciado • conocer
• laborable • entrevistar • licenciarse • capacitación • experto

Lea atentamente estas frases y expresiones e intente retenerlas.

La experiencia laboral.

Hablar francés con soltura.

Solicitar una plaza.

El perfil profesional.

Adquirir experiencia.

Celebrar una entrevista.

Desempeñar un cargo.

Reunir los requisitos.

Dominar la mecanografía.

d **Busque en esta sopa de letras 14 palabras que pueden aparecer en una carta de demanda de empleo. Escríbalas debajo.**

E	N	T	R	E	V	I	S	T	A	D	Z
D	E	S	E	M	P	E	Ñ	A	R	I	A
I	P	Y	E	L	Ñ	T	A	R	E	A	D
P	A	M	A	N	U	N	C	I	O	R	V
L	E	X	P	E	R	I	E	N	C	I	A
O	S	C	U	M	P	L	I	R	D	O	C
M	B	M	E	D	Q	U	O	A	O	D	A
A	F	L	S	N	S	U	R	R	M	A	N
H	I	S	T	O	R	I	A	L	Ñ	T	T
V	Y	I	O	T	D	P	O	A	D	O	E
G	R	E	Q	U	I	S	I	T	O	S	A
J	U	I	S	O	L	I	C	I	T	A	R

1. ....
2. ....
3. ....
4. ....
5. ....
6. ....
7. ....
8. ....
9. ....
10. ....
11. ....
12. ....
13. ....
14. ....

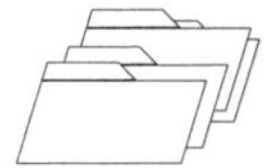

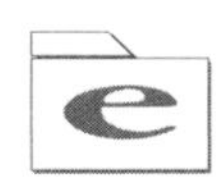

Vamos a ver si tiene memoria...
Escriba en el recuadro las frases y las expresiones que recuerde del ejercicio c.

Ej.: Solicitar una plaza.
....
....
....
....
....
....
....
....

Una con una flecha como en el ejemplo:

hacer •	• información
cursar •	• de selección
adquirir •	• una entrevista
desempeñar •	• un cursillo
cuento con ocho años •	• profesional
cubrir •	• estudios
ampliar •	• experiencia
formar parte de •	• de experiencia
aspirar •	• la plantilla
las pruebas •	• a un empleo
adjunto les remito •	• un puesto
la trayectoria •	• mi *curriculum vitae*
concertar •	• una vacante

Busque en el diccionario sinónimos de estas palabras:

diploma	candidato	requisitos	plantilla
....	....	....	....
....	....	....	....

carpeta de gramática

a

Observe la acentuación de las siguientes palabras:

LA SÍLABA ACENTUADA ES				
LA ÚLTIMA (palabras agudas)		LA PENÚLTIMA (palabras llanas)		LA ANTEPENÚLTIMA (palabras esdrújulas)
SIN TILDE	CON TILDE	SIN TILDE	CON TILDE	CON TILDE
perfil capaz ejercer cualidad	francés condición conseguí cursé	cursillo eficiente requisitos ofrecen	carácter útil Cádiz	académico mecanógrafa periódico ofimática

¿Podría ahora deducir las reglas de acentuación?

b

Complete estas palabras con las sílabas que le proponemos. Luego, indique qué tipo de palabras son.

					aguda	llana	esdrújula
CAR					☐	☐	☐
	VEL				☐	☐	☐
	CIÓN				☐	☐	☐
SE		DAD			☐	☐	☐
	TU	LO			☐	☐	☐
SE		CIÓN			☐	☐	☐
IN	TE				☐	☐	☐
	FI	CAZ			☐	☐	☐
DI		MA			☐	☐	☐
	TRA		CIÓN		☐	☐	☐
EN		VIS			☐	☐	☐
TA	QUÍ		FA		☐	☐	☐
	LI	FI		DO	☐	☐	☐
	CEN	CIA		RA	☐	☐	☐
CO			MIEN	TOS	☐	☐	☐

- TÍ
- CON
- CI
- LI
- CA
- TRE
- NI
- RÉS
- PLO
- CUA
- TAR
- RIE
- TA
- DO
- GRA
- NO
- GO
- E
- TU
- LEC
- FUN

c

Ponga estas palabras en plural. ¡Cuidado con los acentos!

condición	....	actividad	....
profesional	....	eficaz	....
vacante	....	cazatalentos	....
interés	....	joven	....

FINAL

Acaba de terminar la carrera y busca su primer trabajo. Escriba una carta modelo en estilo semibloque para enviar a varias empresas susceptibles de necesitar sus competencias.

- Dirija la carta al Jefe de Personal.
- Explique su interés por trabajar en esa empresa.
- Destaque la calidad de su formación.
- Mencione cuantas prácticas haya realizado, haciendo hincapié en los puestos ocupados.
- Invite al lector a leer su currículo.
- Solicite una entrevista.
- Despídase de forma muy cortés agradeciendo por anticipado el interés demostrado por su candidatura.
- Utilice un tono muy amable pero no dé nunca la sensación de «mendigar» la plaza.

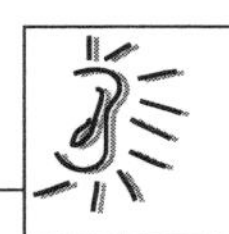

El director de personal de ALFATECH, Pablo Arguiñano, dicta a su secretaria, Gloria Ponse, una respuesta a la solicitud de empleo de Natalia Martínez.

Escuche atentamente la conversación y, luego, redacte la carta.

REFERIRSE AL ANUNCIO
- Con referencia al anuncio incluido en la revista ... del ... en el que ofrecen un puesto de...
- Con relación a la oferta de empleo que figura en el diario ... de fecha...
- En respuesta al anuncio publicado en el diario ... del...

OFRECERSE
- Me complace ofrecerles mis servicios / mi colaboración.

INDICAR LA FORMACIÓN Y EXPERIENCIA
- Poseo una sólida formación en...
- He realizado / seguido cursos de ... en...
- Soy licenciado/a en...
- Tengo el título de...
- Cuento con ... años de experiencia en...
- Como apreciarán al leer el *curriculum vitae* adjunto, he ocupado este tipo de puesto durante ... años.

SOLICITAR UNA ENTREVISTA
- Quedo a su disposición para concertar una entrevista.

DESPEDIRSE
- Agradezco de antemano su atención y les saludo atentamente / cordialmente.
- En espera de su contestación, les saluda cordialmente / atentamente

OTRAS EXPRESIONES Y PALABRAS ÚTILES
- enviar / mandar / remitir una carta
- tener el gusto de / complacerse en
- el periódico / el diario / la revista / el semanario
- cubrir una vacante
- una actividad / una tarea / una función / un trabajo / un puesto / un cargo / un empleo
- comprobar / advertir / observar / apreciar
- reunir / cumplir / llenar los requisitos / las cualidades exigidas / poseer el perfil profesional adecuado / satisfacer las condiciones
- el *curriculum vitae* / el currículo
- la formación profesional
- realizar estudios / prácticas
- hacer un cursillo
- la experiencia laboral / profesional
- dominar / el dominio
- celebrar / mantener una entrevista
- facilitar / proporcionar referencias
- en espera de sus gratas noticias / esperando su respuesta

correo comercial

2

caso práctico

ofertas

Va a aprender a:

- *Ofrecer un producto destacando sus ventajas y cualidades.*

Mundo profesional

Ordene esta carta y escríbala según el modelo de la derecha.

1. ¿Usted necesita documentos con una presentación perfecta y profesional? ¿Con colores luminosos, espectaculares y duraderos? Nosotros podemos ayudarle a conseguirlo. ¿Cómo?

2. Vea el folleto técnico y las muestras de impresión que le adjuntamos y luego llámenos gratuitamente al 900-411-411. Pasaremos a hacerle una demostración sin compromiso por su parte.

3. • imprime 5 hojas por minuto con una resolución de 600 x 300 p.p.p.,
   • cuenta con 30 fuentes True Type,
   • dispone de un alimentador para 150 hojas,
   • tiene un modo de impresión económica,

   y ¡A UN PRECIO ALTAMENTE COMPETITIVO!

4. Muy atentamente,

5. una maravilla de la tecnología capaz de ofrecer un sinnúmero de altísimas prestaciones:

6. Esta revolucionaria IMP66 no sólo es una impresora color de diseño funcional, compacto y elegante, sino también

7. Distinguido señor:

8. Anexos: 1 folleto técnico
   10 pruebas de impresión

9. Con nuestra nueva impresora color, la IMP66.

INFORMÁT

Buen Pastor, 25
48007 BILBAO
Teléfono: (94) 254 11 11
Fax: (94) 254 12 12

Asunto: Oferta

Saludo →

Captar la atención
Crear la necesidad →

Destacar las cualidades del producto →

Mencionar los anexos y animar al cliente a actuar →

Despedida →

El Director Co

Iñaki Zorrozgoi

Fdo.: Iñaki Zo

Anexo/s →

Ordena

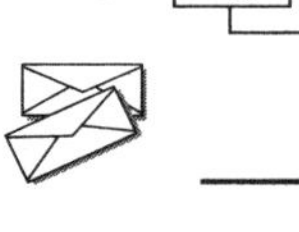

2000

ACADEMIA ENGLISH TODAY
Artazuriña, 36
48004 BILBAO

25 de julio de 1997

riaga

as - Mantenimiento - Consumibles - Formación

Distribución de una carta de oferta

en resumen

Vuelva a leer la carta y conteste estas preguntas:

- ¿Cómo se intenta captar la atención del lector?

....
....
....
....

- Escriba todas las palabras utilizadas para alabar el producto.

....
....
....
....

- ¿Le parece el tono adecuado para la situación? ¿Por qué?

....
....
....
....

- ¿Cómo se motiva a actuar al posible cliente?

....
....
....
....

- ¿Qué se manda junto con la carta? ¿Para qué?

....
....
....
....

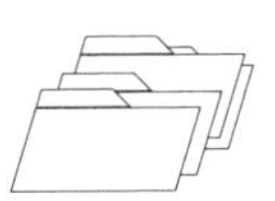

carpeta de prácticas

Lea atentamente estas palabras y expresiones y coloque sus números en los cuadros correspondientes.

1. un servicio a medida
2. un eficaz servicio postventa
3. satisfacer sus expectativas
4. una oferta especial
5. un extenso surtido
6. una amplia red de distribuidores autorizados
7. excelentes prestaciones
8. una oferta limitada a existencias
9. excelente relación calidad-precio
10. una infinita variedad de modelos
11. complacer sus gustos
12. personal cualificado
13. revolucionario
14. inmejorable
15. un servicio de expedición puntual
16. precios asequibles
17. un producto innovador
18. precios increíbles
19. la nobleza de los materiales empleados
20. soberbio diseño
21. una amplísima gama
22. precios muy competitivos
23. de la máxima calidad
24. elegante
25. una completa colección
26. una atención personalizada
27. responder a sus necesidades
28. modernas instalaciones
29. maquinaria de alta precisión
30. sencillo manejo
31. tecnología avanzada
32. precios en promoción
33. precios ventajosos
34. 20 años de experiencia
35. servicio completo y ágil
36. las mejores materias primas
37. un equipo de especialistas
38. el Registro de Empresa AENOR según norma ISO 9001

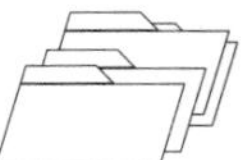

Utilizando los elementos del recuadro y el vocabulario del ejercicio anterior, forme frases para ofrecer los productos de estas tres empresas. Fíjese en los modelos.

- Nuestro laboratorio está dotado de maquinaria de alta precisión.
- Les recordamos que se trata de una oferta especial.

- En nuestro establecimiento encontrarán
- Disponemos de
- Contamos con
- Utilizamos
- Nuestro laboratorio está dotado de
- Hemos desarrollado
- Queremos brindarles
- Nuestro único objetivo es
- Ofrecemos un producto
- Nuestros modelos cuentan con
- Nuestros productos destacan por su/s
- Trabajamos con
- Garantizamos durante todo el año
- Les recordamos que se trata de

Palabras y expresiones del ejercicio a

TIENDA DE ELECTRODOMÉSTICOS	EMPRESA DE TRABAJO TEMPORAL	LABORATORIO FARMACÉUTICO
....	....	....
....	....	....
....	....	....
....	....	....
....	....	....
....	....	....
....	....	....
....	....	....
....	....	....
....	....	....
....	....	....
....	....	....
....	....	....
....	....	....
....	....	....
....	....	....

carpeta de prácticas

c **Relacione los siguientes productos con los adjetivos de la derecha.**

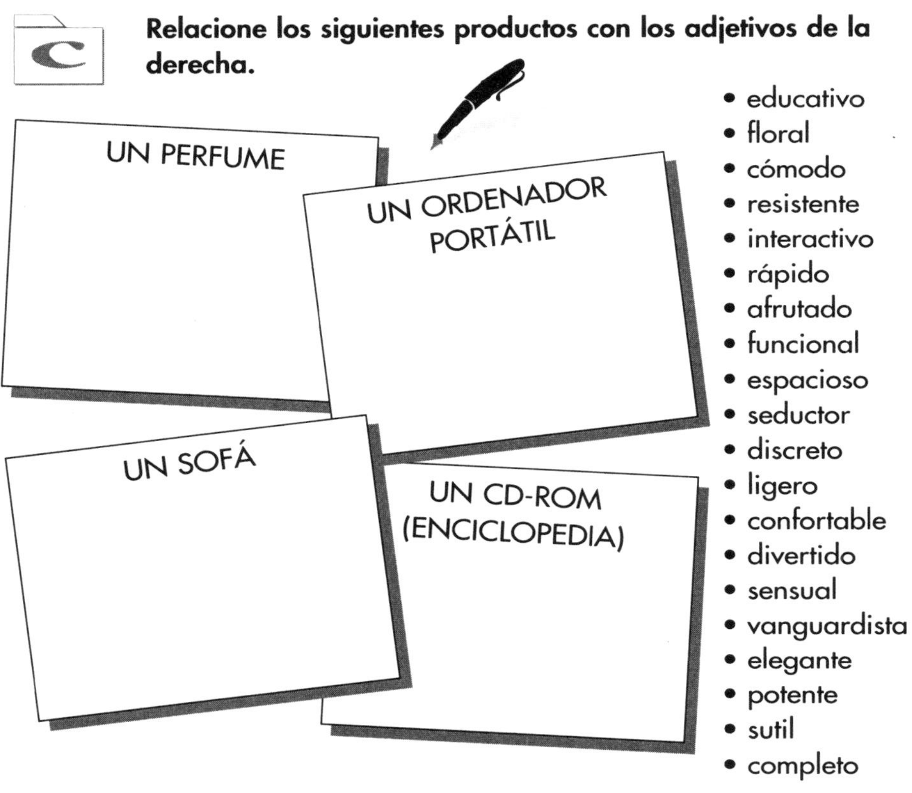

- educativo
- floral
- cómodo
- resistente
- interactivo
- rápido
- afrutado
- funcional
- espacioso
- seductor
- discreto
- ligero
- confortable
- divertido
- sensual
- vanguardista
- elegante
- potente
- sutil
- completo

d **Aquí tiene una carta modelo de oferta en la que hemos dejado algunos espacios en blanco. Completándolos con el vocabulario y las expresiones que ha aprendido en esta unidad, escriba cartas para presentar cada uno de los productos del ejercicio anterior.**

Distinguidos clientes:

Con motivo de las fiestas navideñas, hemos organizado una excepcional exposición de ....

Hemos conseguido reunir una .... de modelos de las marcas más destacadas del mercado que ofrecemos a precios verdaderamente ....

El folleto que les adjuntamos es sólo una pequeña muestra de todo lo que podrán descubrir en nuestra exposición: .... de todo tipo, a la vez ...., ..., y ....

No duden en visitarnos, nos complacerá brindarles una ....
Y recuerden, se trata de ....

Muy atentamente,

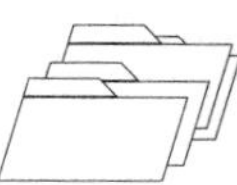

Estas dos ofertas se han mezclado. ¿Podría ordenarlas?

1. Agradecemos de antemano su atención y nos despedimos cordialmente.

2. Ahora, su sueño se ha convertido en realidad

3. Nos complace adjuntarles unos folletos de estas últimas creaciones así como unas muestras para que

4. Para no quedar nunca más incomunicado, llámenos ya al 565.33.22, le pondremos en contacto con el mundo.

5. Distinguidos señores:

6. Les telefonearemos en fecha breve para recoger sus impresiones y

7. Vaya pasando las páginas del catálogo adjunto y descubra las características de nuestros productos:

8. nuestros diseñadores han elaborado un muestrario de nuestros productos a precios muy ventajosos.

9. Sabemos que Ud. encontrará el que necesita.

10. ¿Se ha imaginado Ud. poder algún día contactar con sus socios, colaboradores y clientes esté donde esté y de forma rápida, práctica y sencilla?

11. puedan comprobar la calidad inmejorable de nuestras novedades.

12. Distinguido señor:

13. Mientras tanto, le saludamos muy atentamente.

14. concertar una cita con nuestro representante en ésa.

15. Con agrado les comunicamos que, con motivo de la temporada primavera-verano,

16. gracias a nuestra amplia gama de teléfonos móviles*. **(En México, *celulares.)**

17. su sencillo manejo, su ligereza, su robustez, su tecnología avanzada y su excepcional claridad de sonido.

1				3		6			

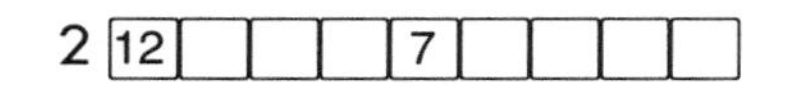

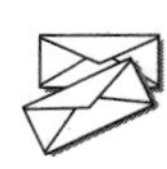

carpeta

de gramática

a **Complete este crucigrama conjugando los verbos en imperativo (Ud.). Cuidado con los verbos en cursiva, son irregulares.**

- contactar
- cumplimentar
- aprovechar
- enviar
- pasar
- leer
- *pensar*
- *saber*
- *hacer*
- *seguir*
- *pedir*

Ahora utilícelos para completar estas frases.

- .... nuestros consejos.
- .... a visitarnos.
- .... las características en el folleto técnico.
- .... en todas las ventajas de esta oferta.
- .... esta ocasión irrepetible.
- .... un catálogo a nuestro representante.
- .... que nuestros productos no le defraudarán.
- .... a nuestras oficinas la tarjeta adjunta.
- .... el cupón de pedido.
- .... con nosotros.
- .... su pedido hoy mismo.

Complete con un imperativo y un pronombre eligiendo entre los verbos del recuadro.

- completar
- elegir
- conocer
- ahorrar
- remitirnos
- solicitar
- llamar
- descubrir

- el cupón de pedido ....
- nuestro último catálogo ....
- su pedido ....
- con nuestro distribuidor ....
- nuestras novedades ....
- las ventajas de nuestro servicio ....
- dinero ....
- la forma de pago que prefiera ....

FINAL

La nueva secretaria ha redactado el borrador de una carta, pero ha usado un vocabulario y un tono inadecuados. ¿Podría corregirlo?

¡Hola!

Usted es cliente de nuestro garaje desde hace ya muchos años y queremos que conozca el nuevo coche "Valencia" que va a invadir el mercado próximamente.
Eche un ojo al folleto adjunto: ¡qué prestaciones!, ¿verdad?
Si le parece, pase a vernos y así podrá admirarlo y, ¡cómo no! darse una vuelta con él, ya verá lo bien que funciona.

Bueno, pues hasta muy pronto...

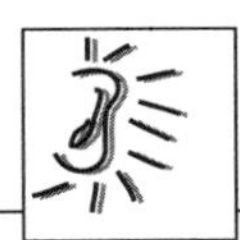

Escuche el mensaje que la gerente de la librería Buenlector ha dejado a su secretaria en el dictáfono y, luego, redacte la carta.

ANUNCIAR, COMUNICAR ALGO
- Nos es grato comunicarles que hemos lanzado al mercado...
- Tenemos el gusto de anunciarles que...
- Nos complace hacerles saber que...
- Con agrado les informamos que...

RESALTAR LAS CUALIDADES DEL PRODUCTO
- Nuestro material es de primerísima calidad.
- Garantizamos la excelente calidad de nuestros productos.
- Estos artículos ofrecen excelentes prestaciones.
- Se trata de un producto innovador / revolucionario / exclusivo.

ADJUNTAR DOCUMENTACIÓN
- Adjunto les remitimos un catálogo y una relación de precios.
- Les adjuntamos un folleto técnico.
- Incluimos nuestra tarifa vigente.
- Por correo aparte les enviamos un muestrario.

PROPONER UNA VISITA
- Estamos dispuestos a hacerles una demostración sin compromiso de / por su parte.
- Podemos desplazarnos a su establecimiento para...
- A su petición nuestro representante les visitará para...

ANIMAR AL CLIENTE A ACTUAR
- No desaprovechen / se pierdan esta oportunidad.
- Aprovechen esta oferta única.
- Cumplimenten el cupón de pedido hoy mismo.
- Llámennos al...

DESPEDIRSE
- Esperando verles próximamente se despide cordialmente
- Agradecemos de antemano su atención y les saludamos atentamente.
- En espera de sus noticias les enviamos un cordial saludo.

OTRAS EXPRESIONES Y PALABRAS ÚTILES
- elegante / original / atractivo / selecto / funcional / idóneo / fiable / seguro / competitivo / imprescindible / inmejorable / confortable / cómodo
- una amplísima gama / un extenso surtido / una infinita variedad de modelos / una completa colección / un gran abanico de productos
- un servicio de expedición ágil y puntual
- un servicio postventa fiable, rápido y eficaz
- precios ventajosos / asequibles / moderados / increíbles / competitivos / sin competencia / en promoción / pensados para Uds.
- oferta limitada a existencias
- satisfacer las expectativas / adelantar las exigencias / responder a las necesidades
- ofrecer / brindar
- Estamos seguros de que quedarán satisfechos.

correo comercial

3

caso práctico

solicitudes

Va a aprender a:

- *Solicitar catálogos, precios, muestras, ofertas, presupuestos…*

Mundo profesional

Ordene esta carta y escríbala según el modelo de la derecha.

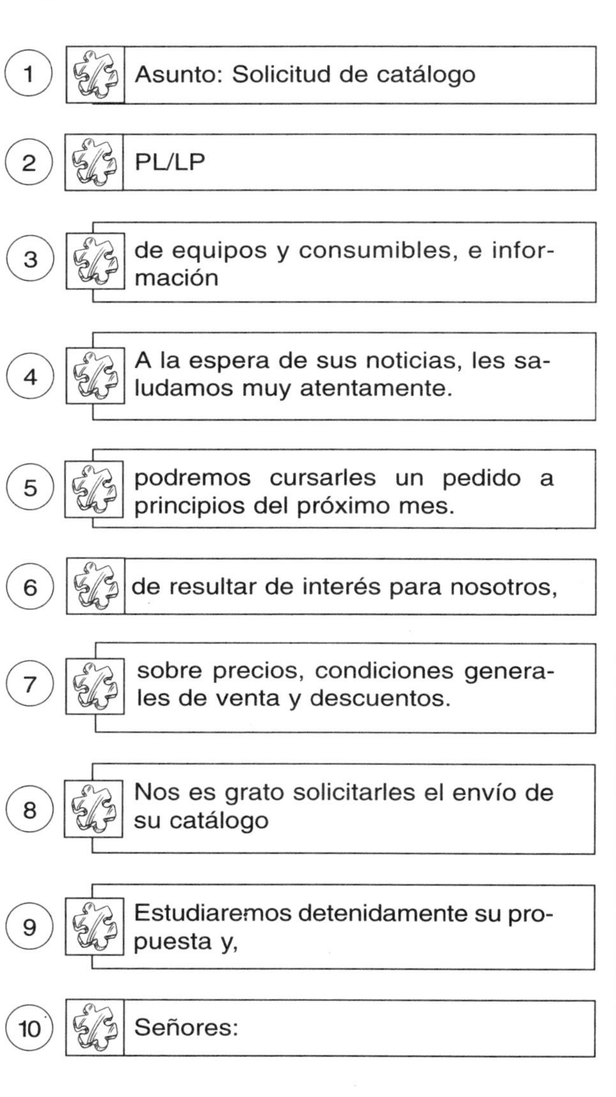

1. Asunto: Solicitud de catálogo
2. PL/LP
3. de equipos y consumibles, e información
4. A la espera de sus noticias, les saludamos muy atentamente.
5. podremos cursarles un pedido a principios del próximo mes.
6. de resultar de interés para nosotros,
7. sobre precios, condiciones generales de venta y descuentos.
8. Nos es grato solicitarles el envío de su catálogo
9. Estudiaremos detenidamente su propuesta y,
10. Señores:

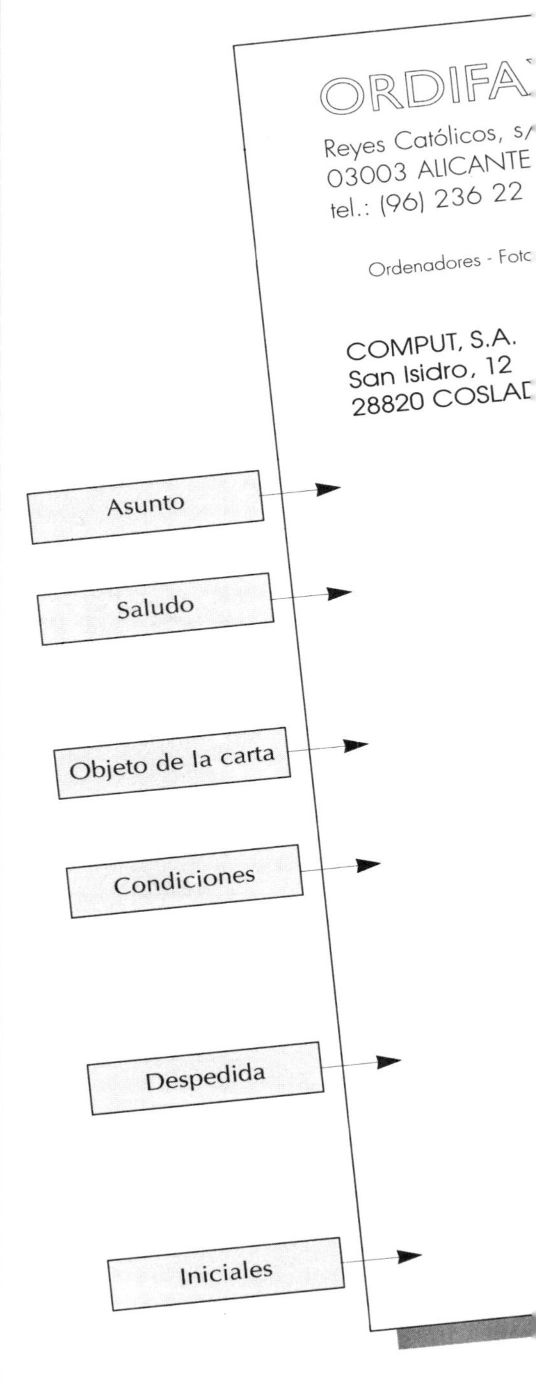

Relacione cada palabra con su definición.

1. catálogo	2. muestrario
3. presupuesto	4. tarifa

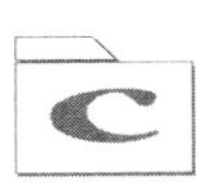

☐ Colección de pequeñas cantidades de productos que permiten dar a conocer sus cualidades.

☐ Lista de precios.

☐ Lista ordenada de productos con indicación de las características de los mismos. Puede llevar o no el precio.

☐ Estimación detallada del coste de un producto o servicio.

c **Ahora, complete estas tres cartas teniendo en cuenta las instrucciones situadas debajo de cada una. Use las expresiones del recuadro para formular su petición.**

- agradeceríamos nos remitieran...
- agradeceremos nos faciliten...
- nos sería grato recibir...
- les rogamos nos hagan...

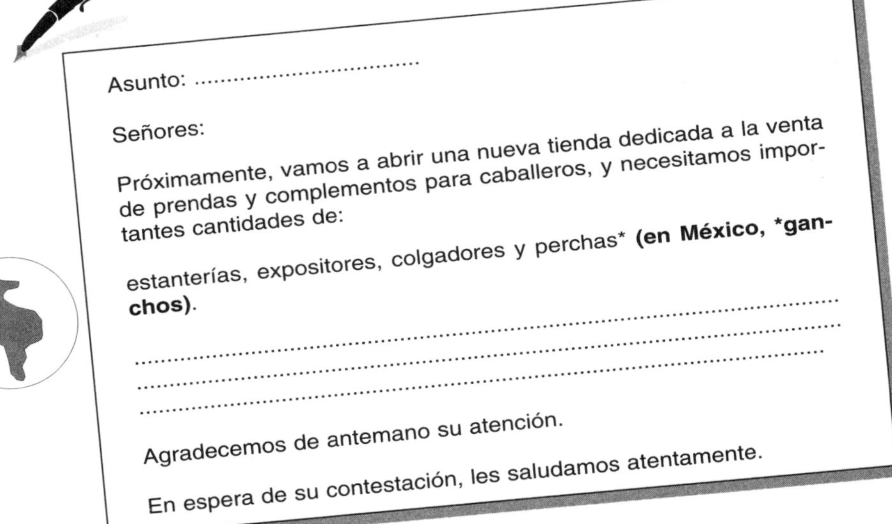

Asunto: ....

Señores:

Próximamente, vamos a abrir una nueva tienda dedicada a la venta de prendas y complementos para caballeros, y necesitamos importantes cantidades de:

estanterías, expositores, colgadores y perchas* **(en México, *ganchos)**.

....

....

....

Agradecemos de antemano su atención.

En espera de su contestación, les saludamos atentamente.

Solicite una tarifa.

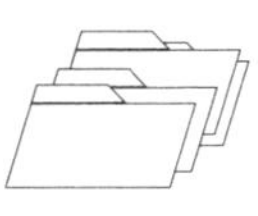

carpeta de prácticas

Asunto: ....

Señores:

En el próximo mes de mayo abriremos nuevos despachos en la sexta planta de nuestro edificio y deseamos equiparlos con los siguientes muebles de oficina:

6 escritorios / 12 sillas / 10 armarios archivadores* **(en México, *archivadores)**.

....
....
....

Confiamos en una pronta respuesta.

Atentamente,

Solicite un presupuesto.
(Compra e instalación del material.)

Asunto: ....

Señores:
....
....

- Moqueta* de lana virgen **(en México, *alfombra)**.
- Moqueta de poliamida.
- Moqueta de pelo raso.

....
Asimismo, ...
....

Quedamos a la espera de sus gratas noticias.

Cordialmente,

Solicite un muestrario
y las condiciones generales de venta.

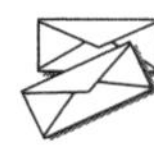

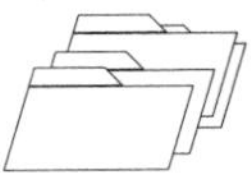

Indique cuál es la palabra extraña.

- enviar - lanzar - remitir - mandar
- artículos - géneros - pedidos - mercancías
- petición - solicitud - oferta - demanda
- proporcionar - suministrar - abastecer - encargar

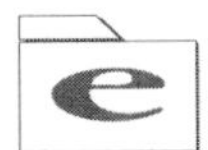

Escriba los verbos que corresponden a estos sustantivos.

proveedor	ruego	gracias	oferta
....	....	....	....
acuerdo	propuesta	atención	descuento
....	....	....	....

Una con una flecha las palabras y expresiones que tienen el mismo significado, como en el ejemplo:

nos es grato •	• relación de precios
facilitar información sobre •	• precios vigentes
las existencias •	• esperando su contestación
en espera de su respuesta •	• cotizar un precio
remitir •	• mandar
indicar un precio •	• agradeceríamos nos mandaran
cursar un pedido •	• por anticipado
lista de precios •	• pasar un pedido
de antemano •	• indicar
rogamos el envío de •	• el stock
precios en vigor •	• nos complacemos en

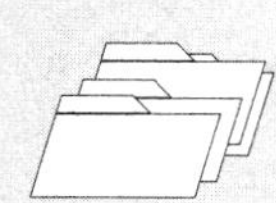

carpeta de gramática

Complete estas formas verbales (Ud.) con las vocales que faltan:

	Presente de Subjuntivo	Imperfecto de Subjuntivo
• incluir	_ncl_y_	_ncl_y_r_
• especificar	_sp_c_f_q_ _	_sp_c_f_c_r_
• conceder	c_nc_d_	c_nc_d_ _r_
• atender	_t_ _nd_	_t_nd_ _r_
• tener	t_ng_	t_v_ _r_
• puntualizar	p_nt_ _l_c_	p_nt_ _l_z_r_
• cotizar	c_t_c_	c_t_z_r_
• remitir	r_m_t_	r_m_t_ _r_
• hacer	h_g_	h_c_ _r_
• facilitar	f_c_l_t_	f_c_l_t_r_

Vuelva a leer las cartas de esta unidad fijándose bien en las frases utilizadas para expresar una solicitud. Luego, complete este cuadro:

SI EL VERBO PRINCIPAL (EL QUE EXPRESA RUEGO O SOLICITUD) ESTÁ EN...	EL SUBORDINADO ESTÁ EN...
PRESENTE DE INDICATIVO	
Ejemplo: Les rogamos nos manden...	
FUTURO DE INDICATIVO	
Ejemplo: Agradeceremos nos faciliten...	
CONDICIONAL	
Ejemplo: Agradeceríamos nos enviaran...	

Ahora, complete estas frases escogiendo los verbos entre los del ejercicio a:

- Agradeceríamos nos .... sus plazos de entrega.
- Solicitamos nos .... facilidades de pago.
- Le encarecemos .... sus condiciones de pago.
- Le ruego me .... una relación de precios.
- Agradecería me .... llegar un presupuesto.

Redacte la siguiente carta:

Está usted interesado en un viaje a Hispanoamérica organizado por la agencia de viajes Ameritours de Barcelona. Escriba una carta para solicitar información sobre:

- los precios,
- las fechas de ida y vuelta de los viajes,
- las actividades propuestas.

Escuche esta conversación en la que Julio Esteban, director de Brillasa, empresa dedicada a la producción y distribución al por mayor de productos de limpieza, y su socio, Marco Cano, se han reunido para encontrar una solución al problema del calor en verano en las oficinas y naves de producción, y redacte la carta.

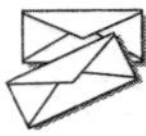

SOLICITAR ALGO
- Nos es grato solicitarles...
- Nos sería grato recibir...
- Agradeceremos el envío de...
- Rogamos nos manden...
- Les rogamos nos hagan llegar...
- Agradeceríamos nos remitieran...
- Agradecería me facilitaran...

AGRADECER LA ATENCIÓN
- Agradecemos de antemano su atención.
- Les damos las gracias por anticipado.
- Con nuestro más expresivo agradecimiento...

CONCLUSIÓN Y DESPEDIDA
- Quedamos a la espera de sus gratas noticias y les saludamos atentamente.
- En espera de su contestación nos despedimos cordialmente.
- Esperando su pronta respuesta aprovechamos la presente ocasión para enviarles atentos / cordiales saludos.

OTRAS EXPRESIONES Y PALABRAS ÚTILES
- estar interesado/s en...
- necesitamos adquirir...
- deseamos ampliar...
- renovar el material / las existencias / el stock
- información detallada sobre / de...
- facilitar / proporcionar una información
- proveer de / abastecer / suministrar / proporcionar mercancías
- hacer / conceder / otorgar un descuento / una bonificación
- una oferta
- un presupuesto
- un catálogo general
- una lista / una relación de precios vigentes
- una tarifa
- una cotización / cotizar un precio
- una muestra / un muestrario
- una propuesta / una proposición
- artículos / productos / géneros / mercancías* **(en México, *mercaderías)** / material
- los plazos de entrega
- las condiciones generales de venta
- las condiciones de pago
- a vuelta de correo / a la mayor brevedad / en el más breve plazo

correo comercial

4

caso práctico

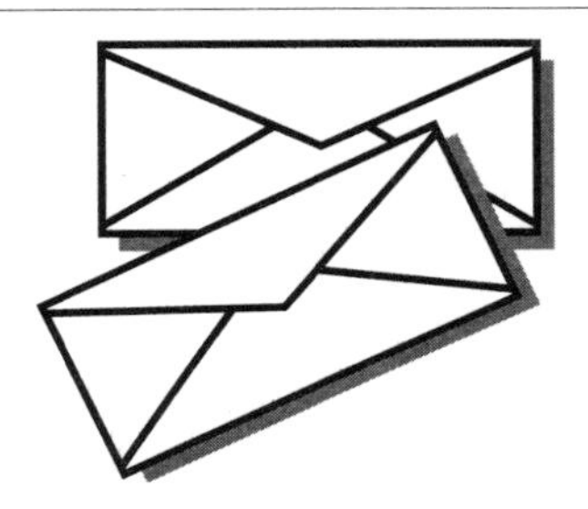

respuestas a las solicitudes

Va a aprender a:

- *Agradecer una solicitud de información.*
- *Atender la petición del posible cliente.*
- *Ofrecerse a su servicio.*

Mundo profesional

Ordene esta carta y escríbala según el modelo de la derecha.

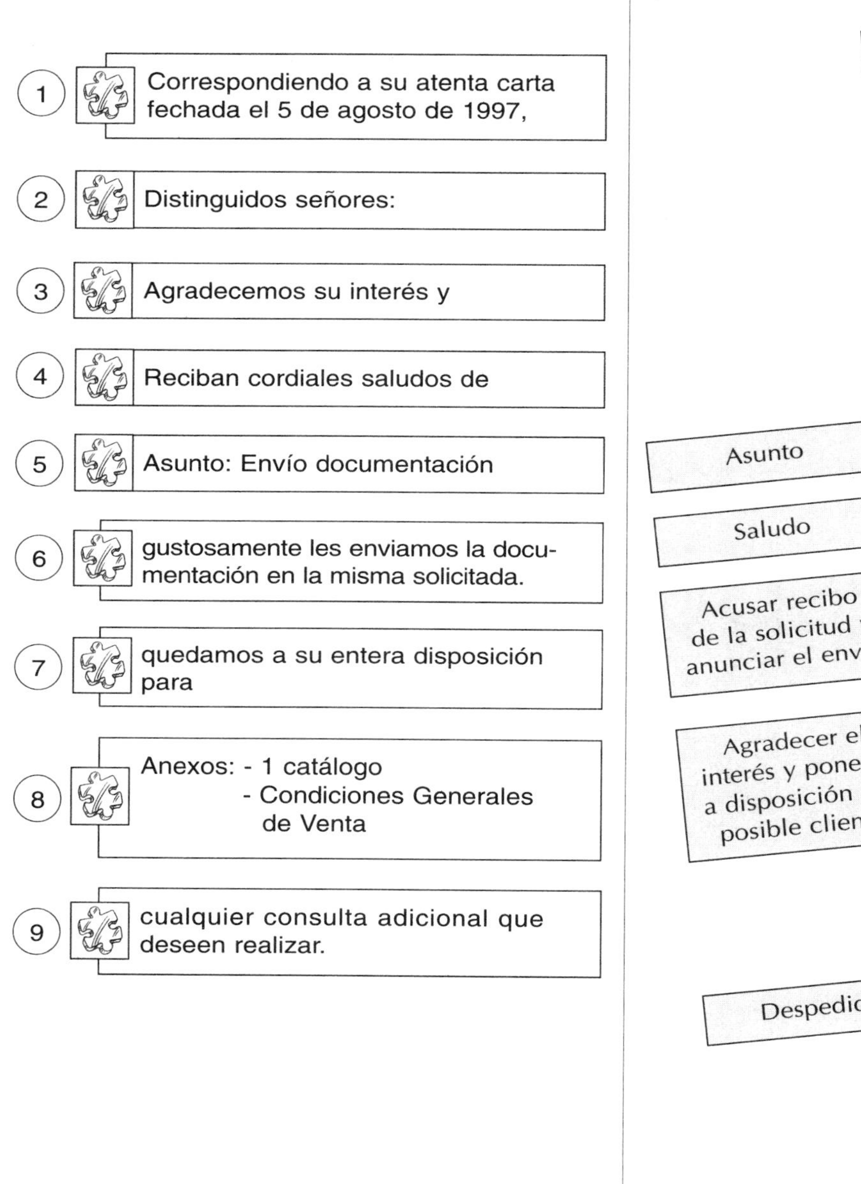

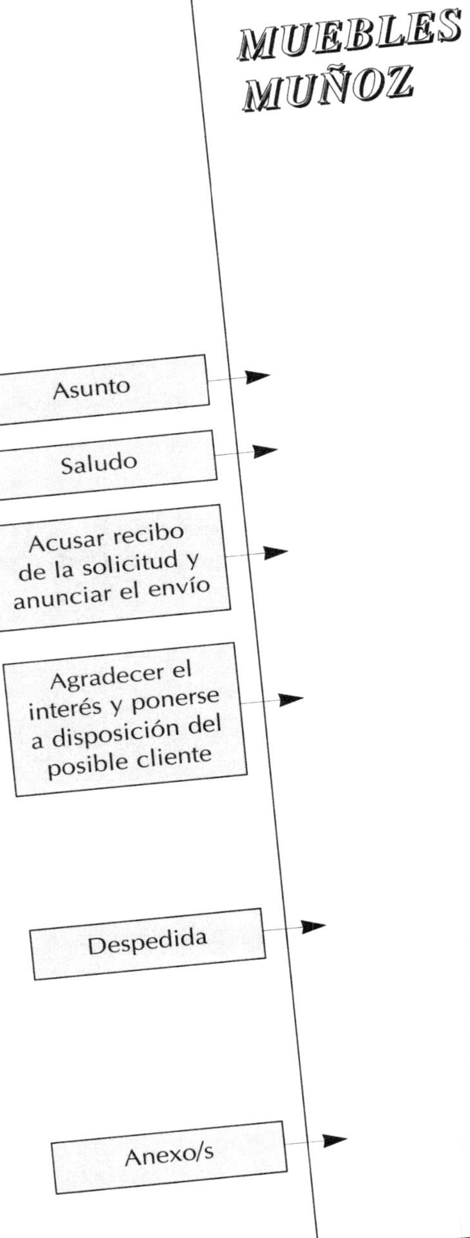

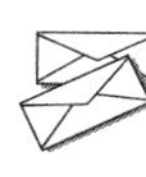

AGO DE COMPOSTELA (La Coruña)

HERMANOS RUIZ, S.L.
San Antonio, 4
15002 LA CORUÑA

8 de agosto de 1997

MUEBLES MUÑOZ
Antonio Muñoz
Antonio Muñoz Moreno
Director

22 22 33 - Telefax: (981) 123 66 88

Distribución de una carta de respuesta a una petición de documentación

en resumen

Vuelva a leer la carta y conteste estas preguntas:

- ¿Cuánto tiempo ha transcurrido entre la solicitud y la respuesta?

  ....
  ....

- ¿Qué conclusiones saca?

  ....
  ....
  ....
  ....

- ¿Qué espera el proveedor de este primer contacto?

  ....
  ....
  ....
  ....

- ¿Qué hará el posible cliente una vez que haya recibido esta documentación?

  ....
  ....
  ....
  ....

- ¿Es importante contestar a toda demanda de información? ¿Por qué?

  ....
  ....
  ....
  ....

carpeta de prácticas

a **Tres empresas están interesadas en unos cursos de idiomas ofrecidos por la Academia Multilenguas. Cada una ha cumplimentado el cupón de solicitud de información y ha respondido utilizando un medio diferente. Contésteles como si usted fuera el director de la academia, usando las expresiones propuestas que correspondan a cada caso.**

Respuesta a una llamada telefónica

26 de marzo de 1997

s/ref.: ....
Objeto: ....

Distinguidos señores:

____
____
____
____
____
____

Muy cordialmente,
MULTILENGUAS
Pedro Casals
Pedro Casals

Anexo: ....

Respuesta a un fax

26 de marzo de 1997

s/ref.: ....
Objeto: ....

Distinguidos señores:

____
____
____
____
____

Muy atentamente,
MULTILENGUAS
Pedro Casals
Pedro Casals

Anexo: ....

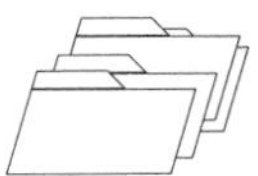

Respuesta al envío de un cupón por correo

26 de marzo de 1997

s/ref.: ....
Objeto: ....

Distinguidos señores:

____
____
____
____
____

Cordiales saludos,
MULTILENGUAS
Pedro Casals
Pedro Casals

Anexo: ....

Necesitará estas expresiones:

- En respuesta a su petición...
- Contestando a su solicitud...
- Con relación al mismo...

Esperamos tener el gusto de contarles entre nuestros estudiantes.

Agradecemos nos hayan devuelto el cupón de solicitud de información inserto en la revista «Enseñanza».

Nos complace enviarles un folleto sobre nuestro centro.

Les damos las gracias por su interés en nuestros cursos y quedamos a la espera de sus gratas noticias.

Tenemos el gusto de remitirles información detallada de nuestros cursos.

Les damos las gracias por su llamada telefónica del 24 del corriente.

Acusamos recibo de su fax del 25 del actual.

Esperamos que nuestros cursos merezcan su atención y quedamos a su disposición para facilitarles cualquier dato adicional de su interés.

Adjunto les remitimos la información solicitada.

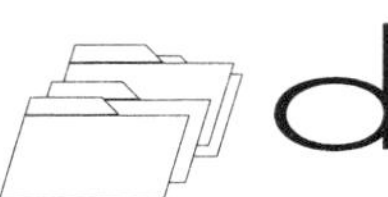

carpeta de prácticas

PRECIOS, ENTREGA, PORTE y PAGO son las cuatro principales condiciones que rigen una compraventa. Lea detenidamente las expresiones situadas a la derecha y colóquelas en las casillas correspondientes del cuadro.

PRECIOS	
ENTREGA	
PORTE	
PAGO	

- *debido*
- *giro postal*
- *letra*
- *descuento/s*
- *pagado*
- *precios sin IVA*
- *transferencia bancaria*
- *precios con IVA*
- *servicio propio*
- *agencia Corremucho*
- *tarjeta de crédito*
- *talón nominativo** (**en México, *cheque**)
- *tarifa vigente desde el 16/07/1997*
- *contrarreembolso*
- *15 días desde la recepción de los pedidos*
- *domicilio del comprador*

¿A qué palabras del ejercicio anterior corresponden estas definiciones y expresiones?:

- .... En vigor, válido/a.
- .... Sistema de venta en el que el comprador paga la mercancía en el momento de recibirla.
- .... Disminución del precio de venta al público (P.V.P.) de una mercancía.
- .... Tabla de precios.
- .... Impuesto indirecto que grava las operaciones mercantiles.

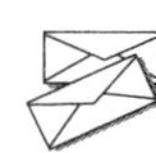

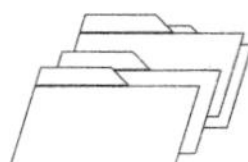

Complete estas dos cartas con las palabras del recuadro.

• productos • gustosamente • último • poder • gracias
• visitarle • órdenes • fechada • servicio • catálogo
• adjunto • variedad • información • agradecemos
• correo aparte • Distinguidos señores • Distinguido señor

..................:

Obra en nuestro .... su atenta carta .... el 20 de febrero de 1997. Nos complace comunicarle que, por ...., le hemos enviado esta mañana el .... solicitado.

Esta misma semana pasará a .... nuestro representante para ampliar cualquier .... que usted pueda necesitar.

En espera de sus gratas .... le saludamos atentamente.

......................:

.... su escrito del 20 de febrero pasado, al que contestamos ....

.... a la presente encontrarán nuestro .... catálogo, que les permitirá apreciar la gran .... de nuestros ....

Ofreciéndonos a su .... y reiterándoles las ...., nos despedimos cordialmente.

A continuación, explique el significado de las siguientes palabras:

- Obrar: ....
- Poder: ....
- Orden: ....
- Servicio: ....

e

¿De qué palabras o expresiones de las cartas son sinónimas las siguientes?

- ....: Quedamos a su disposición.
- ....: Acusamos recibo.
- ....: Carta.
- ....: Pedido.
- ....: De fecha.

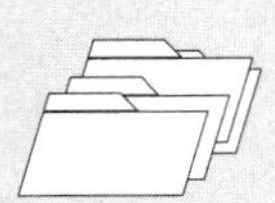

carpeta de gramática

a **Observe el significado de las siguientes preposiciones:**

- A .... movimiento, lugar respecto de otro
- CON .... modo, compañía
- DESPUÉS DE ..... posterioridad
- EN .... lugar, tiempo
- HASTA .... límite
- MEDIANTE .... modo
- PARA .... finalidad
- POR .... medio, motivo
- SIN .... privación
- SOBRE .... asunto

b **Ahora, utilícelas para completar esta carta:**

Distinguidos señores:

Les damos las gracias .... su carta del pasado 30 de octubre y .... agrado les facilitamos los siguientes datos ....nuestras condiciones.

PRECIOS: Figuran ....l final de nuestro catálogo general, que les mandamos .... correo aparte .... las muestras. Estos precios se entienden ....IVA y son válidos .... la publicación del siguiente número.

PORTE: Pagado .... Península y Baleares ....destino.

PLAZOS: 5 días .... la recepción de los pedidos.

PAGO: .... transferencia .... nuestra cuenta bancaria .... el banco La Peseta (entidad 4412, oficina 110, cuenta n.° 25874512).

.... que puedan realizar sus pedidos .... comodidad, les ofrecemos una línea de fax gratuita: 900 10 10 20.

Cerramos .... julio .... vacaciones.

Les saludamos muy atentamente.

FINAL

Redacte la siguiente carta:

El mayorista Blancura, S.A. contesta al Hospital Santa María del Dolor remitiéndole un catálogo de sus productos (sábanas, toallas, etc.) y precisando las condiciones de pago y plazos de entrega. Comunica también la próxima visita de su representante para atender cualquier pregunta.

Éstas son las condiciones de venta:

- Ventas mínimas: 100 piezas de cada artículo.
- Pago: el 20% del importe al efectuar el pedido, mediante talón. El 80% restante a 30 y 60 días, fecha factura, mediante letras aceptadas.
- Entrega: a recepción del pedido (*stock* permanente).

No se olvide de agradecer el interés.

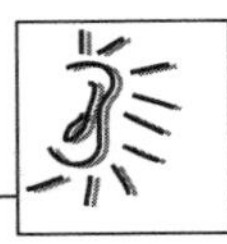

Escuche esta conversación telefónica entre la secretaria de INFOTEX y la Agencia Multilingua y redacte el fax.

Invente también un eslogan y diseñe un membrete original.

Datos de la Agencia Multilingua:
Varsovia, 55 - 28024 MADRID
Tel.: (91) 214 44 77 - Fax: (91) 214 44 95

Fecha: la actual.
Directora Comercial: Beatriz Aguirre.

ACUSAR RECIBO / AGRADECER LA SOLICITUD

- Acusamos recibo de su atenta solicitud fechada el...
- Obra en nuestro poder su escrito de fecha...
- Agradecemos su carta fechada el...
- Correspondiendo a su atenta del...
- Contestamos a su carta del ... y les damos las gracias por interesarse en nuestros productos.
- Hemos recibido su carta del ... por la cual les expresamos nuestro agradecimiento.

ANUNCIAR EL ENVÍO

- Nos complace adjuntarles nuestro último catálogo.
- Adjunto encontrarán el catálogo de nuestros productos.
- Por correo aparte recibirán las muestras solicitadas.
- Gustosamente les enviamos la información que necesitan.
- Tenemos el gusto de remitirles nuestra relación de precios vigentes.
- Con agrado les facilitamos el presupuesto pedido.
- Nos complacemos en hacerles la siguiente oferta:

CONCLUSIÓN Y DESPEDIDA

- Agradecemos su interés y nos despedimos cordialmente.
- En espera de sus gratas órdenes les saludamos atentamente.
- Quedamos a su disposición y les enviamos atentos saludos.
- Mientras esperamos sus noticias nos despedimos muy cordialmente.
- Esperando que nuestra oferta merezca su atención aprovechamos esta oportunidad para saludarles atentamente.
- Esperando tener el gusto de contarles entre nuestros clientes les enviamos cordiales saludos.

OTRAS EXPRESIONES Y PALABRAS ÚTILES

- su carta del 22 de mayo pasado
- su escrito del 5 del corriente / actual
- por correo aparte / en sobre aparte
- confirmando la conversación telefónica del...
- atender cualquier consulta / facilitar información adicional
- contactar con...
- conceder / favorecer con / hacer / aplicar / otorgar una bonificación / un descuento
- pago mediante talón / cheque / letra / transferencia / giro postal / tarjeta de crédito
- pago a recepción de la mercancía
- una entrada / un anticipo

correo comercial

5

caso práctico

pedidos

Va a aprender a:

- *Pedir el envío de una mercancía.*
- *Solicitar la prestación de un servicio.*

Mundo profesional

Ordene esta carta de pedido y escríbala según el modelo de la derecha.

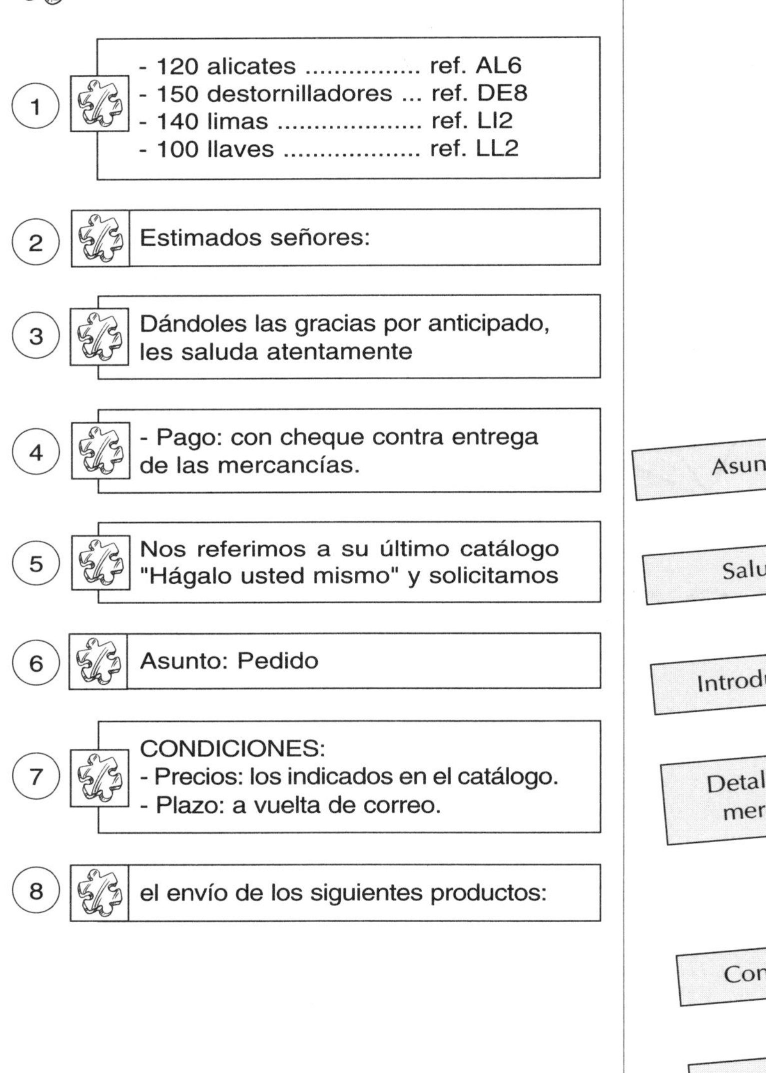

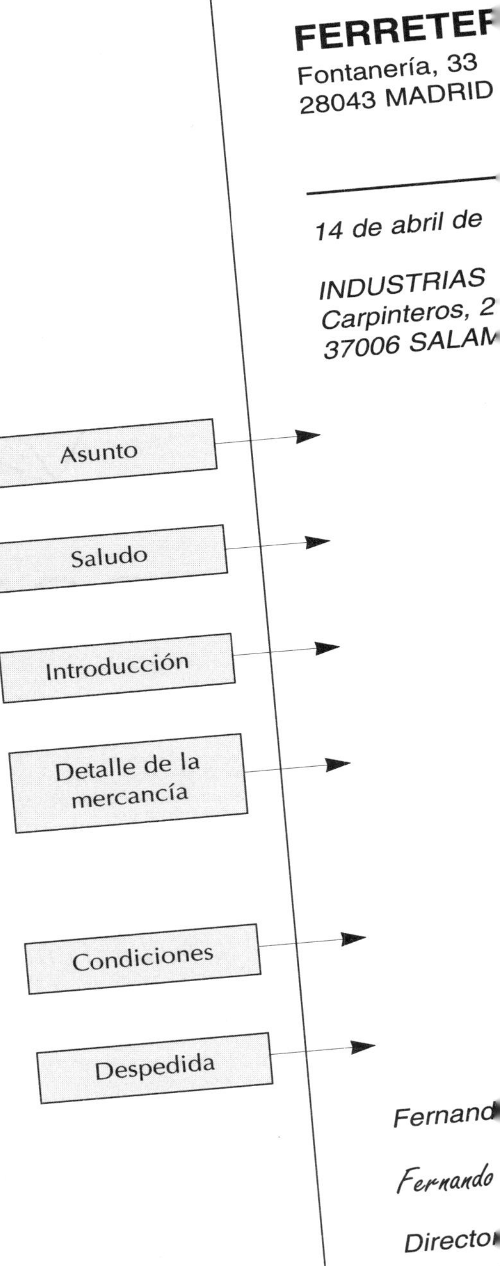

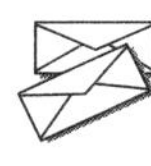

VILLO

Teléfono: (91) 222 55 88
Fax: (91) 222 66 99

...ta de calidad

...E, S.A.

Distribución de una carta de pedido

en resumen

Vuelva a leer la carta y conteste estas preguntas:

• ¿Qué datos contiene?

....
....
....
....
....

• ¿Por qué es importante indicar todas las condiciones de envío, entrega y pago?

....
....
....
....
....

• Comente el tono.

....
....
....

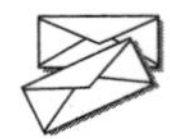

carpeta de prácticas

Como acabamos de ver, la carta de pedido consta de datos esenciales relativos a LA MERCANCÍA, EL ENVÍO y la OPERACIÓN MERCANTIL.
Lea detenidamente las palabras y expresiones situadas a la derecha y colóquelas en las casillas correspondientes.

LA MERCANCÍA	
EL ENVÍO	
LA OPERACIÓN MERCANTIL	

1. lugar de entrega
2. longitud
3. cantidad
4. contenido
5. peso
6. acondicionamiento
7. seguro de transporte
8. medio de transporte
9. gastos de transporte
10. precio unitario
11. denominación
12. forma de pago
13. descuentos
14. tamaño
15. plazo de entrega
16. condiciones de pago
17. color
18. talla
19. referencia

b

Ahora, diga a qué conceptos de los señalados en a se refieren estas expresiones y póngales el número correspondiente:

- ☐ botellas de 0,75 litro
- ☐ carretes de 150 metros
- ☐ rojo
- ☐ talón
- ☐ nuestro almacén
- ☐ porte pagado
- ☐ 15 días desde la recepción del pedido
- ☐ nuestras oficinas
- ☐ a recepción de la mercancía
- ☐ 20 cm x 85 cm
- ☐ 259 pesetas
- ☐ palet
- ☐ 150 unidades
- ☐ ferrocarril
- ☐ cajas acolchadas
- ☐ compañía El Veloz
- ☐ AS-589
- ☐ transferencia bancaria
- ☐ correo
- ☐ contenedor
- ☐ letra de cambio
- ☐ cajas de madera
- ☐ manzanas Golden
- ☐ a 30 días
- ☐ 2%
- ☐ 150 kilogramos
- ☐ buque
- ☐ porte debido

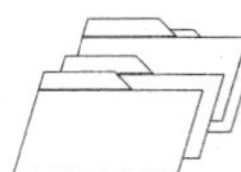

c

Forme 7 frases utilizando un elemento de cada caja.

- Nos es grato
- Me complace
- Agradeceré
- Nos complacemos en
- Agradeceríamos
- Solicitamos
- Rogamos

- efectuarles
- el envío de
- enviarles
- nos remitieran
- nos envíen
- nos manden
- solicitarles nos sirvan

- el presente pedido.
- estas mercancías.
- la siguiente orden.
- los géneros abajo indicados.
- los artículos señalados al pie.
- los siguientes productos.
- el siguiente pedido.

- ....
- ....
- ....
- ....
- ....
- ....
- ....

¿Por qué expresiones podrían sustituirse las que van en negrita?

PLAZO DE ENTREGA

- **Los géneros deben ser entregados** antes del 10 de octubre. [ ]
- Rogamos el envío **en un plazo máximo de cuatro semanas**. [ ]

TRANSPORTE

- Rogamos envíen las mercancías **por mediación de Transportes Prisaprisa**. [ ]

PAGO

- Los precios son los de **su oferta nº 9**. [ ]
- **Abonaremos el importe** mediante efecto a 45 días. [ ]
- Pagaremos **por letra a 60 d/f**. [ ]

1. su última cotización
2. por la Compañía Correcorre
3. satisfaremos su factura
4. su lista de precios del 10/10
5. mediante talón
6. en el más breve plazo
7. efectuaremos el pago
8. en el plazo de 2 semanas
9. deseamos recibir los artículos
10. a vuelta de correo
11. su última circular de ofertas
12. por correo
13. en dos plazos a 30 y 60 días
14. mediante efecto
15. a la mayor brevedad posible
16. dentro del plazo de 15 días desde esta fecha
17. por cheque
18. por transferencia bancaria
19. necesitamos los accesorios para

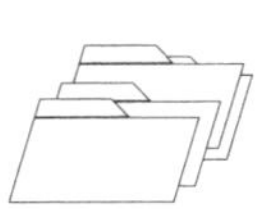

carpeta de prácticas

Este fax consta de varias abreviaturas. Léalo y, después, trate de escribir en el recuadro de la derecha las palabras a que corresponden. Fíjese en el ejemplo.

FAX

Librería Iberia, S.L.
El Escritor, 14
28038 MADRID

fcha: 08/03/1997   n.° de págs. incluyendo ésta: 1

Destinatario:	Almacenes Ríos Sr. Arturo Sánchez Góngora, 25 - 08042 BARCELONA
Emisor:	Ernesto Pérez Tel.: 258 22 56 Fax: 258 22 47

COMENTARIO

Asunto: Pedido n.° 58

Distinguido Sr.:

Le damos las gracias por s/ atta. del 25 del pdo. con la que nos remitía s/ últ. catálogo. A la vista del mismo nos complace pasarle pedido de los sigs. art. en las condiciones estipuladas más abajo:

150 cuadernos ref. AL12 .... 125 ptas./unidad
500 fundas ref. OL25 .... 90 ptas./20 unidades
150 carpetas* ref. IT 63 .... 168 ptas./unidad
(en México, *folders)

Plazo: antes del 20 del cte.
Precios: los del catálogo.
Pago: por ch/ a recepción de la mercancía.

Atte.,

Ernesto Pérez

Ernesto Pérez
Dir.

P.D.: Rogamos envíe fra. por dupdo.

Ej.: S.L.
Sociedad limitada.

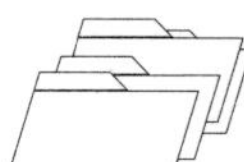

Forme palabras uniendo con una flecha los elementos de las dos columnas.

DE •	• SA
UR •	• LLAR
PRON •	• MIENTO
IM •	• TREGA
EN •	• MORA
CUM •	• PORTE
REME •	• PLIMENTAR
CUMPLI •	• TITUD
DETA •	• GENTE

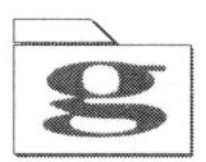

Complete estos verbos con las sílabas que se han escapado.

- A__NAR
- __TEN__
- EN__GAR
- ESPE__
- RE__TIR
- A__DE__

GRA	PLIR	RAR	PE
BO	MI	TIS	CI
A	CER	PA	SAR
TRE	SO	CER	DER

- __GAR
- CUM__
- SA__FA__
- CUR__
- __LI__TAR
- EX__DIR

¿Tiene usted memoria? Escriba cuatro formas diferentes de solicitar el envío de una mercancía.

- ....
....
- ....
....
- ....
....
- ....
....

carpeta

a **Sustituya las palabras en cursiva por un gerundio, añadiendo un pronombre personal cuando sea necesario.**

- *Nos referimos* a su lista de precios n.° 4 y les cursamos la siguiente orden.

....

....

- *En contestación* a su último escrito le enviamos junto con la presente un cupón de pedido.

....

....

- Les rogamos nos envíen seis puertas ref. AX23 *y les encarecemos* que las envuelvan de dos en dos.

....

....

- Ya que sus precios *resultan* muy competitivos con respecto a los de la competencia, podemos asegurarles pedidos regulares.

....

....

- Agradeceremos cuiden el acondicionamiento de los accesorios y *sustituyan* el papel de embalar habitual por papel acolchado.

....

....

b **Vuelva a escribir correctamente estas frases que se han mezclado tras seleccionar el gerundio adecuado entre los que se indican a continuación: *dando, siendo, necesitando, confiando, pareciendo.***

- .... nos sus productos de excelente calidad, les saludamos atentamente.
- .... poner los géneros a la venta antes de fin de mes, les rogamos nos envíen las siguientes cantidades.
- .... en una pronta entrega les encarecemos un envío urgente.
- .... éste nuestro primer pedido nos despedimos muy cordialmente.
- ....les las gracias por su prontitud, les facilitamos unas referencias a las que pueden acudir.

TAREA FINAL

Envíe un fax a la agencia de traducciones El Políglota, sita en el número 5 de la calle Gobernador, 28014 Madrid, para pedir la traducción del español al francés del folleto turístico "Madrid en 4 días", de 2.360 palabras. (No olvide adjuntar el texto original.) Necesita la traducción en disquete de 3,5.

- Condiciones: Vd. ya es cliente de esta agencia. Por lo tanto, no es imprescindible que repita todas las condiciones del pedido (precios y pago), basta con que haga referencia a las mismas.
- Plazo: 5 días. Traducción a entregar en sus oficinas.
- Datos: Pedido nº 14/97. Fecha: la actual. Mandar el fax a la atención de Elena Rui.

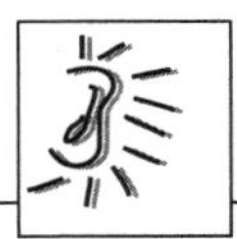

Ahora, escuche el mensaje que la señora Merino ha dejado en el dictáfono a su secretaria y corrija los errores que ésta ha cometido al redactar la carta de pedido.

AGENCIA TRADINSTANT

Avenida Isaac Peral, 16
30007 MURCIA

15 de julio de 1997

OFISHOP - Callejón Secretario, 3 - 30009 MURCIA

n/ref.: Pedido n.° 96/174

Distinguidos señores:

Refiriéndonos a su catálogo n.° 25 rogamos nos manden los siguientes suministros en las condiciones y plazos indicados en el mismo:

5 tacos post-it	ref. CP888	720 ptas./unidad
2 packs de portaminas	ref. PM210	1.068 ptas./unidad
10 paquetes de bolsas	ref. BO478	355 ptas./unidad
5 paquetes de 500 hojas papel	ref. PH258	2.835 ptas./unidad
10 cartuchos de tinta	ref. CT351	2.315 ptas./unidad
5 cajas de disquetes	ref. CD410	980 ptas./unidad

Sin otro particular, aprovechamos la ocasión para saludarles atentamente.

Gloria Merino
Gloria Merino
Directora de la Agencia

GM/pr

Teléfono: (968) 236 66 55 - Fax: (968) 236 63 31

INTRODUCCIÓN
- Obra en nuestro poder su lista de precios n.°...
- Con referencia a su presupuesto del...
- Refiriéndonos a su cotización fechada el...
- Hemos recibido su catálogo...
- Confirmando nuestra conversación telefónica de hoy...

PEDIR LAS MERCANCÍAS
- Solicitamos el envío de... / Deseamos recibir... / Rogamos nos manden...
- Nos es grato efectuarles el siguiente pedido:
- Solicitamos nos sirvan la siguiente orden:
- Nos complacemos en pedirles los géneros detallados a continuación.
- Agradeceremos nos remitan los artículos reseñados al pie.
- Agradeceríamos nos mandaran los siguientes productos:

CONDICIONES
- Rogamos el envío urgente de las mercancías.
- Necesitamos los géneros antes de...
- Les ruego efectúen la entrega por / por medio de / a través de / por mediación de Transportes Correprisa.
- Según lo convenido, pagaremos mediante talón / cheque / giro / transferencia / letra.
- De acuerdo con su tarifa del...

CONCLUSIÓN Y DESPEDIDA
- En espera de su remesa, les saludamos atentamente.
- Confiando en una pronta entrega nos despedimos cordialmente.
- A la espera de sus noticias les enviamos un cordial saludo.
- Con gracias anticipadas, le saluda cordialmente

OTRAS EXPRESIONES Y PALABRAS ÚTILES
- efectuar / cursar / hacer / realizar / colocar / formular / pasar un pedido
- la nota de pedido
- cumplir con los plazos de entrega
- atender / efectuar un pago
- a recepción de la mercancía
- en el plazo máximo de ... días / dentro del plazo de ... días / fechas a partir de / a contar desde / desde esta fecha
- la compañía / la empresa / la agencia de transporte

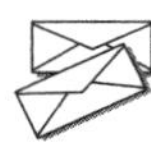

correo comercial

6

caso práctico

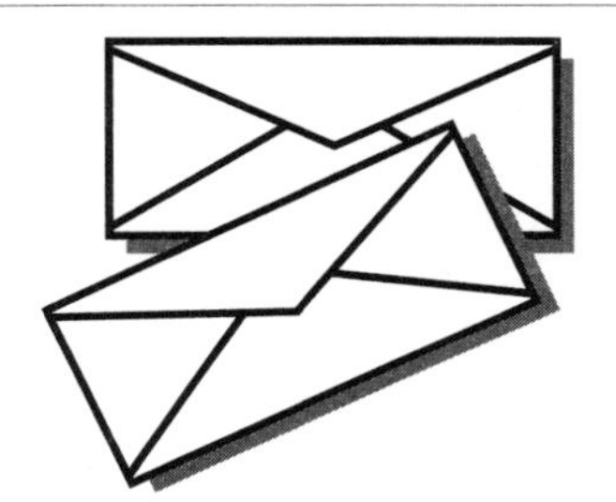

informes comerciales

Va a aprender a:

- *Solicitar datos sobre la solvencia de un cliente.*
- *Proporcionar informes positivos y negativos.*

Mundo profesional

Ordene esta carta y escríbala según el modelo de la derecha.

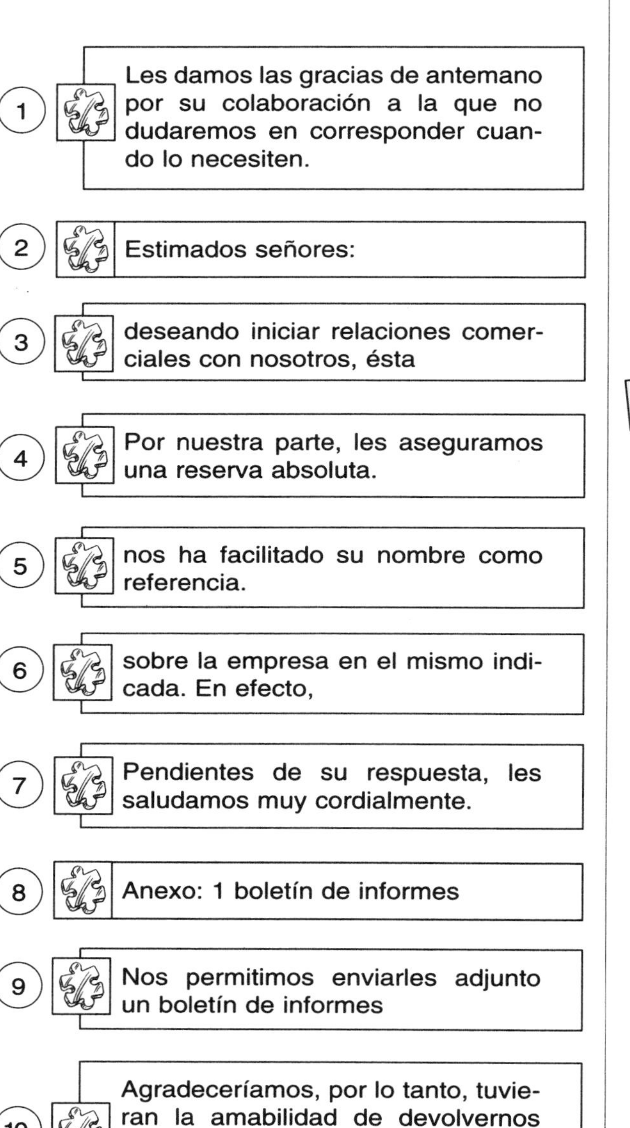

1. Les damos las gracias de antemano por su colaboración a la que no dudaremos en corresponder cuando lo necesiten.
2. Estimados señores:
3. deseando iniciar relaciones comerciales con nosotros, ésta
4. Por nuestra parte, les aseguramos una reserva absoluta.
5. nos ha facilitado su nombre como referencia.
6. sobre la empresa en el mismo indicada. En efecto,
7. Pendientes de su respuesta, les saludamos muy cordialmente.
8. Anexo: 1 boletín de informes
9. Nos permitimos enviarles adjunto un boletín de informes
10. Agradeceríamos, por lo tanto, tuvieran la amabilidad de devolvernos dicho boletín cumplimentado a la mayor brevedad.

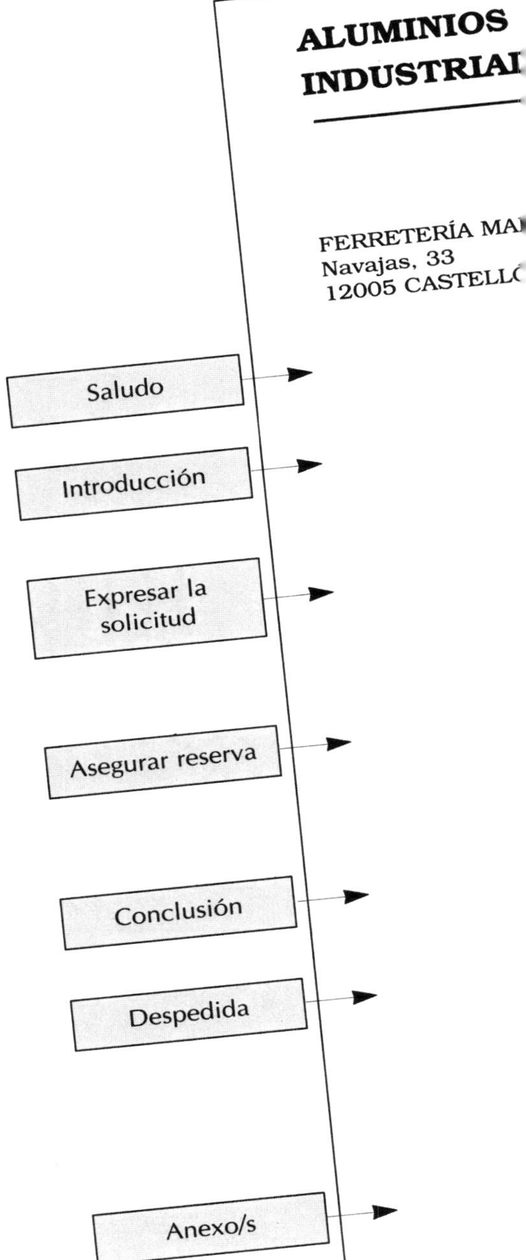

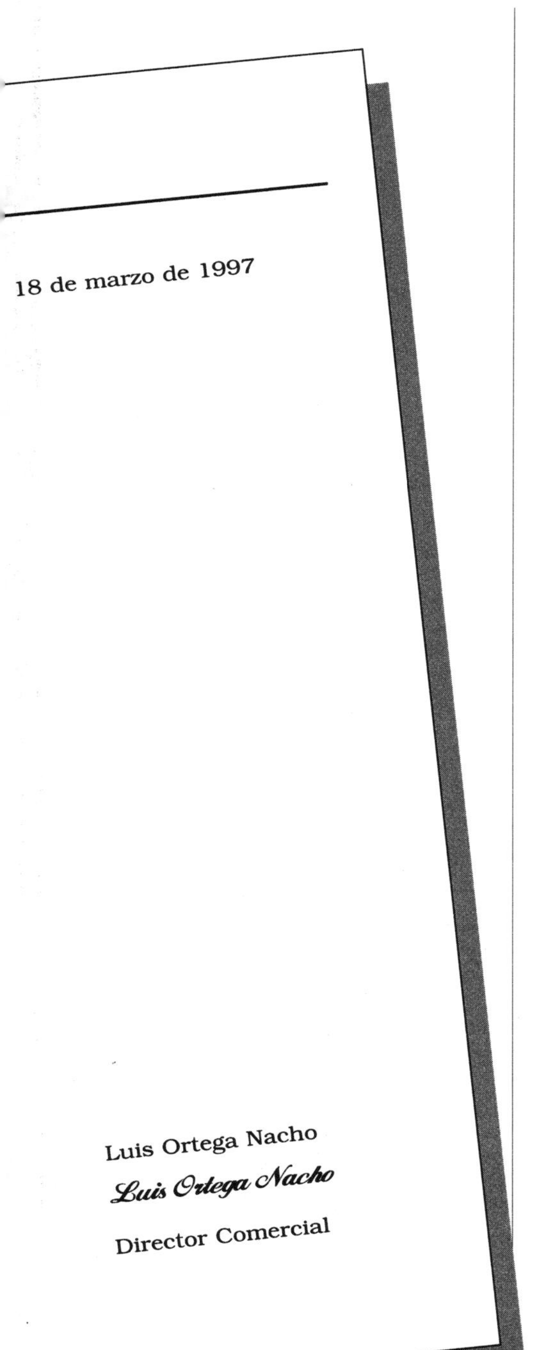

Distribución de una carta de petición de informes

en resumen

Vuelva a leer la carta y conteste estas preguntas:

- ¿Por qué necesita el proveedor este tipo de información sobre el cliente?
....
....

- ¿A quién va dirigida esta carta?
....
....

- ¿Por qué se garantiza confidencialidad?
....
....

- ¿Cómo cree que actuará el proveedor una vez recibidos los informes?
Si son favorables
....
....
....
Si no lo son
....
....
....

De los siguientes conceptos señale aquéllos de los que le parezca más importante tener información para valorar la seriedad de una empresa:

- el nombre del director gerente.... ☐
- el año de creación..................... ☐
- el número de socios.................. ☐
- la plantilla.................................. ☐
- el capital..................................... ☐
- la edad de la telefonista.............. ☐
- el número de fax......................... ☐
- la solvencia................................. ☐
- la superficie de los locales.......... ☐
- la forma de atender los pagos...... ☐
- la actividad.................................. ☐
- la dirección de las sucursales...... ☐

carpeta

Aquí tiene dos respuestas a una petición de informes, una favorable y otra desfavorable. ¿Podría separarlas y ordenarlas?

1. ya que siempre ha sido puntual a la hora de realizar sus pagos.

2. En efecto, hace unos meses decidimos dejar de comerciar con ellos

3. les facilitamos la siguiente información sin ningún compromiso por nuestra parte

4. Llevamos cuatro años manteniendo excelentes relaciones comerciales con la sociedad indicada por Uds.

5. Por lo tanto, les aconsejamos realicen sus transacciones al contado.

6. En respuesta a su escrito fechado 29 de julio pasado,

7. Encareciéndoles nuevamente discreción les enviamos cordiales saludos.

8. Consideramos que es digna de confianza,

9. Confiando en su discreción y total reserva, nos despedimos cordialmente.

10. Señores:

11. por reiterados incumplimientos de sus compromisos (tres pagos no atendidos a su debido tiempo y una letra protestada).

12. Señores:

13. Contestamos a su carta del 4 del corriente y lamentamos no poder informar de forma satisfactoria

14. y rogándoles la máxima reserva sobre la misma.

15. de la empresa indicada en la tarjeta adjunta a la misma.

RESPUESTA FAVORABLE ....

RESPUESTA DESFAVORABLE ......

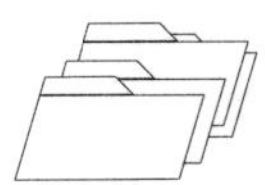

b **Busque en el diccionario la definición de estas palabras:**

- Formalidad: ....
....
- Solvencia: ....
....
- Compromiso: ....
....
- Reputación: ....
....

c **Escriba lo contrario de estas palabras y expresiones. Consulte el diccionario o la lista de abajo.**

• *contestable*	• *con precaución*
• *seriedad*	• *puntual*
• *desfavorable*	• *conceder un crédito importante*
• *dudosa*	• *prosperar*
• *beneficiar*	• *lamentar*

- complacerse ....
- impuntual ....
- probada ....
- dañar ....
- favorable ....
- atravesar por una situación difícil ....
- con confianza ....
- realizar las transacciones al contado ....
- intachable ....
- informalidad ....

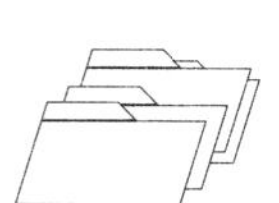

carpeta de prácticas

Ahora, va a utilizar este vocabulario: informe sobre un mismo concepto, favorable y desfavorablemente. Fíjese en el ejemplo.

BUENOS INFORMES	MALOS INFORMES
Nos complacemos en proporcionarles un informe favorable.	Lamentamos facilitarles un informe desfavorable.
	Es una empresa que atraviesa por una situación difícil.
Siempre se han conducido de forma intachable.	
	Últimamente, su informalidad ha dañado su reputación.
Es una empresa de probada rectitud.	
	Son impuntuales a la hora de saldar sus deudas.
Pueden comerciar con ellos con confianza.	
	Les aconsejamos realicen sus transacciones al contado.

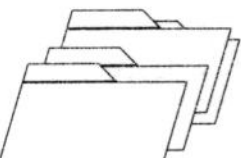

Complete el siguiente cuadro:

comportarse	
	conducta
arriesgar	
	incumplimiento
perjudicar	
	responsabilidad
desconfiar	
	compromiso
adeudar	

- *deuda*
- *perjuicio*
- *riesgo*
- *responsabilizarse*
- *desconfianza*
- *comprometerse*
- *comportamiento*
- *conducirse*
- *incumplir*

¿Podría añadir una palabra más? No dude en consultar el diccionario.

actuar conducirse	seriedad formalidad	insolvente incumplidor ....
prudencia precaución	empresa sociedad	dudoso cuestionable ....

Una con una flecha:

satisfacer •	• un crédito
cumplir •	• un pago
liquidar •	• con sus obligaciones
conceder •	• relaciones comerciales
mantener •	• una deuda
efectuar •	• una cuenta

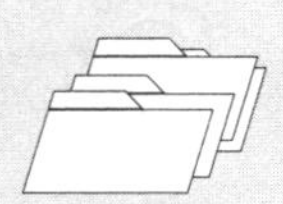

carpeta de gramática

a Forme los adverbios en -mente derivados de las siguientes palabras:

meticulosidad	reiterar	satisfacción

Ahora, insértelos en estas frases:

- La empresa en cuestión siempre se ha conducido ....
- Cumple .... con todos sus compromisos.
- Nos hemos visto .... obligados a enviarles recordatorios de pago.

Sustituya los adverbios y las locuciones adverbiales escritas con mayúsculas por otros equivalentes que figuran a la derecha.

- Hemos tratado ÚNICAMENTE .... una vez con esa sociedad, POR LO TANTO, ... nos resulta difícil formarnos una opinión.
- EN REALIDAD .... son unos clientes morosos.
- A MENUDO .... no pagan en la fecha concertada.
- Siempre han efectuado los pagos OPORTUNAMENTE ...., SALVO .... en una ocasión.
- AHORA .... ya no mantenemos relaciones comerciales.
- Hemos dejado de atender sus pedidos A CONSECUENCIA DE .... una discrepancia.

EN LA ACTUALIDAD

SÓLO

DE HECHO

CON FRECUENCIA

EXCEPTO

DEBIDO A

A SU DEBIDO TIEMPO

POR CONSIGUIENTE

Transforme las palabras en cursiva en adverbios.

- Dicha empresa se comporta *con formalidad* y *honradez*.
- Les aconsejamos actúen con *cautela* y *prudencia*.
- Hemos procurado informarles *con sinceridad* y *objetividad*.

TAREA FINAL

Esta carta ha sido escrita en un tono inconveniente, corríjala.

Queridos amigos:

Contestando a vuestra carta en la que nos pedís informes sobre la empresa Hermanos Pérez, tenemos que decir lo siguiente:

Esa empresa se ha portado realmente fatal. En enero del año pasado les servimos un pedido muy importante y sólo lo pagaron ocho meses después, cuando nos habían prometido hacerlo a los dos meses. Eso nos disgustó muchísimo y además causó graves perjuicios, porque pagaron con un talón sin fondos.

Por eso, no os aconsejamos que iniciéis relaciones con ellos.

Un saludo,

Escuche esta conversación entre dos compañeras de trabajo y redacte la carta.

miércoles 9

SOLICITAR INFORMES
- Les remitimos un boletín de informes con el ruego de que nos lo devuelvan una vez cumplimentado.
- Agradeceríamos nos informaran acerca de la empresa indicada en la hoja adjunta.
- Les rogamos tengan la amabilidad de facilitarnos la opinión que les merece la sociedad mencionada en la tarjeta adjunta.

GARANTIZAR CONFIDENCIALIDAD
- Pueden contar con nuestra total reserva.
- Todos los datos que nos brinden serán objeto de la máxima discreción.

INFORMAR
- Nos complace informar favorablemente acerca de...
- Sentimos / Lamentamos no poder facilitarles un informe satisfactorio.
- Les proporcionamos estos datos sin compromiso alguno por nuestra parte.

OFRECERSE A CORRESPONDER
- No dudaremos en prestarles el mismo servicio cuando lo necesiten.
- Nos complacerá corresponder a su amabilidad.

CONCLUSIÓN Y DESPEDIDA
- Reiterándoles confidencialidad, agradecemos de antemano su respuesta y les saludamos atentamente.
- Confiando en su discreción, nos despedimos cordialmente.
- Rogándoles la máxima reserva, les saluda atentamente

OTRAS EXPRESIONES Y PALABRAS ÚTILES
- cumplimentar / completar / rellenar un formulario / un impreso / un cuestionario
- iniciar relaciones comerciales / tratar / comerciar con...
- actuar / conducirse / comportarse / obrar
- gozar de buena reputación / ser digno de confianza
- la seriedad / la moralidad / la rectitud / la honradez / la formalidad / la puntualidad / el rigor / la responsabilidad / la solvencia
- la falta de seriedad
- atravesar por una situación difícil
- dudoso / sospechoso / cuestionable / discutible / incumplidor / insolvente / impuntual
- cumplir / incumplir (con) sus compromisos / obligaciones
- con confianza / seguridad
- con prudencia / cautela / precaución / reserva
- arriesgado / imprudente

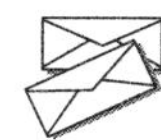

caso práctico

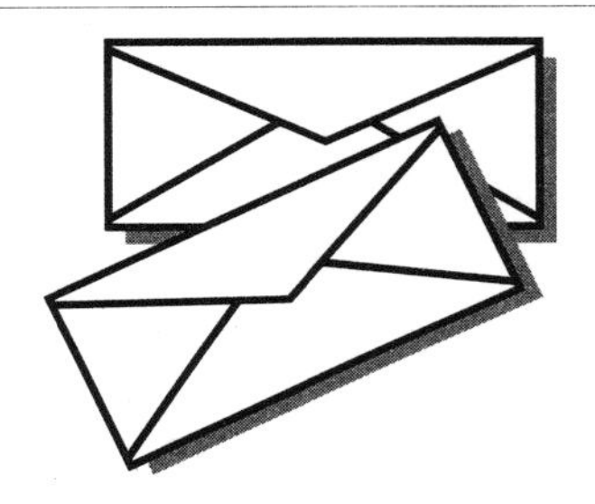

envíos

Va a aprender a:

- *Anunciar el cumplimiento de un pedido.*
- *Explicar incidencias en el tratamiento de un encargo.*
- *Proponer soluciones a las mismas.*

Mundo profesional

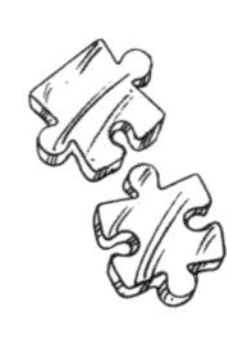

Ordene esta carta y escríbala según el modelo de la derecha.

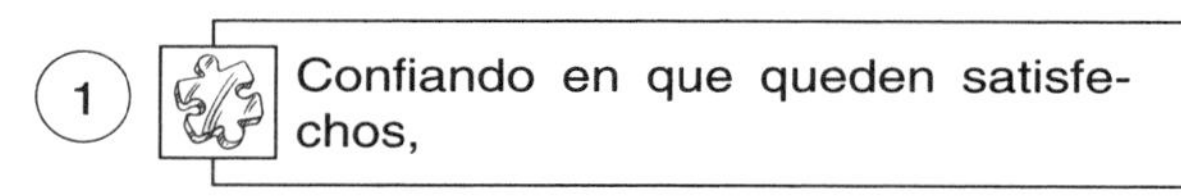

1. Confiando en que queden satisfechos,

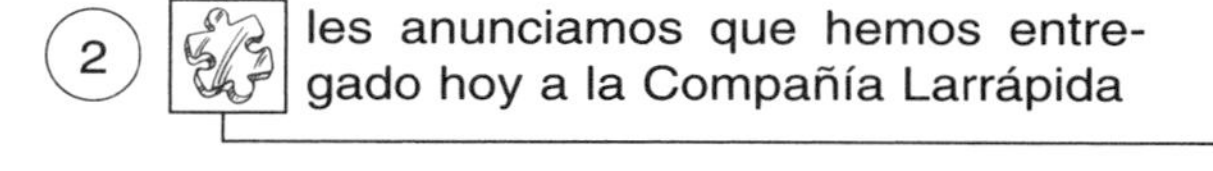

2. les anunciamos que hemos entregado hoy a la Compañía Larrápida

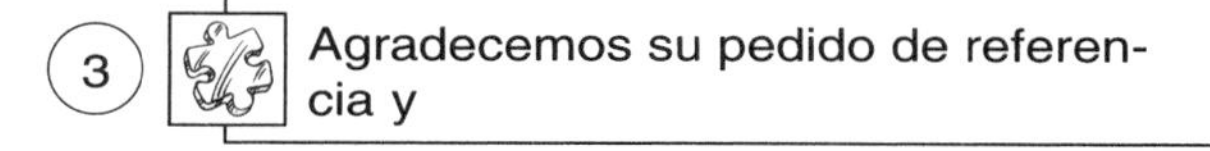

3. Agradecemos su pedido de referencia y

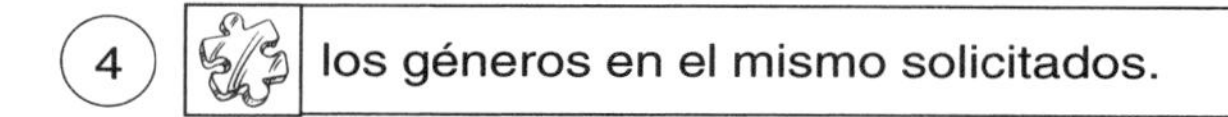

4. los géneros en el mismo solicitados.

5. JC/lo

6. s/ref.: su pedido n.° 6-96

7. les saluda atentamente

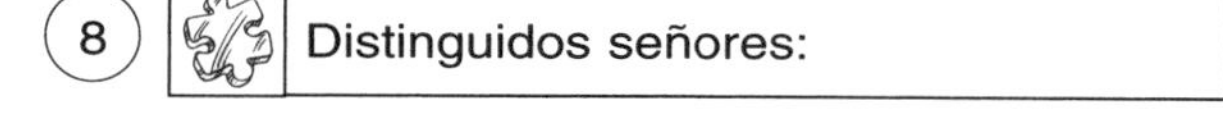

8. Distinguidos señores:

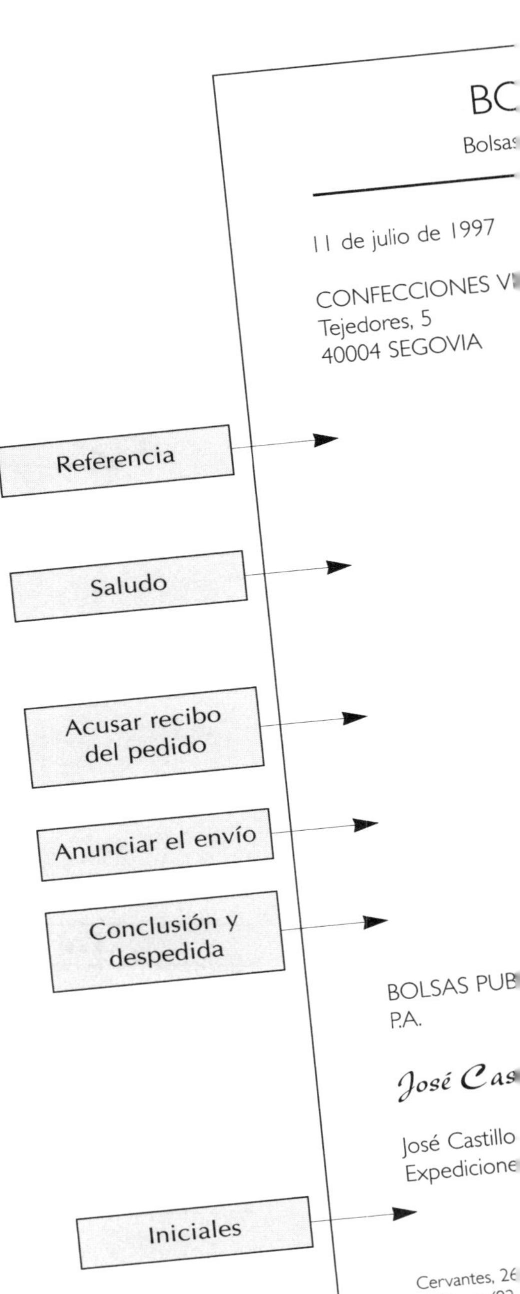

BC

Bolsas

11 de julio de 1997

CONFECCIONES V

Tejedores, 5

40004 SEGOVIA

Referencia

Saludo

Acusar recibo del pedido

Anunciar el envío

Conclusión y despedida

BOLSAS PUB

P.A.

José Cas

José Castillo

Expedicione

Iniciales

Cervantes, 26

Teléfono: (92

Fax: (921) 25

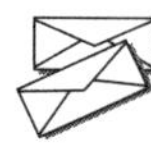

B, S.L.

stico y papel

Distribución de una carta de anuncio de envío

en resumen

Vuelva a leer la carta y conteste estas preguntas:

- ¿Qué anuncia esta carta?

....
....
....
....

- Antes de efectuar el envío, ¿qué debe hacer el proveedor?

a) CONFECCIONES VISTOBIÉN ya es cliente suyo.

....
....
....
....

b) Es la primera vez que CONFECCIONES VISTOBIÉN cursa un pedido.

....
....
....
....

- Estudie su contenido y tono.

....
....
....
....

carpeta de prácticas

a **Forme frases utilizando un elemento de cada caja.**

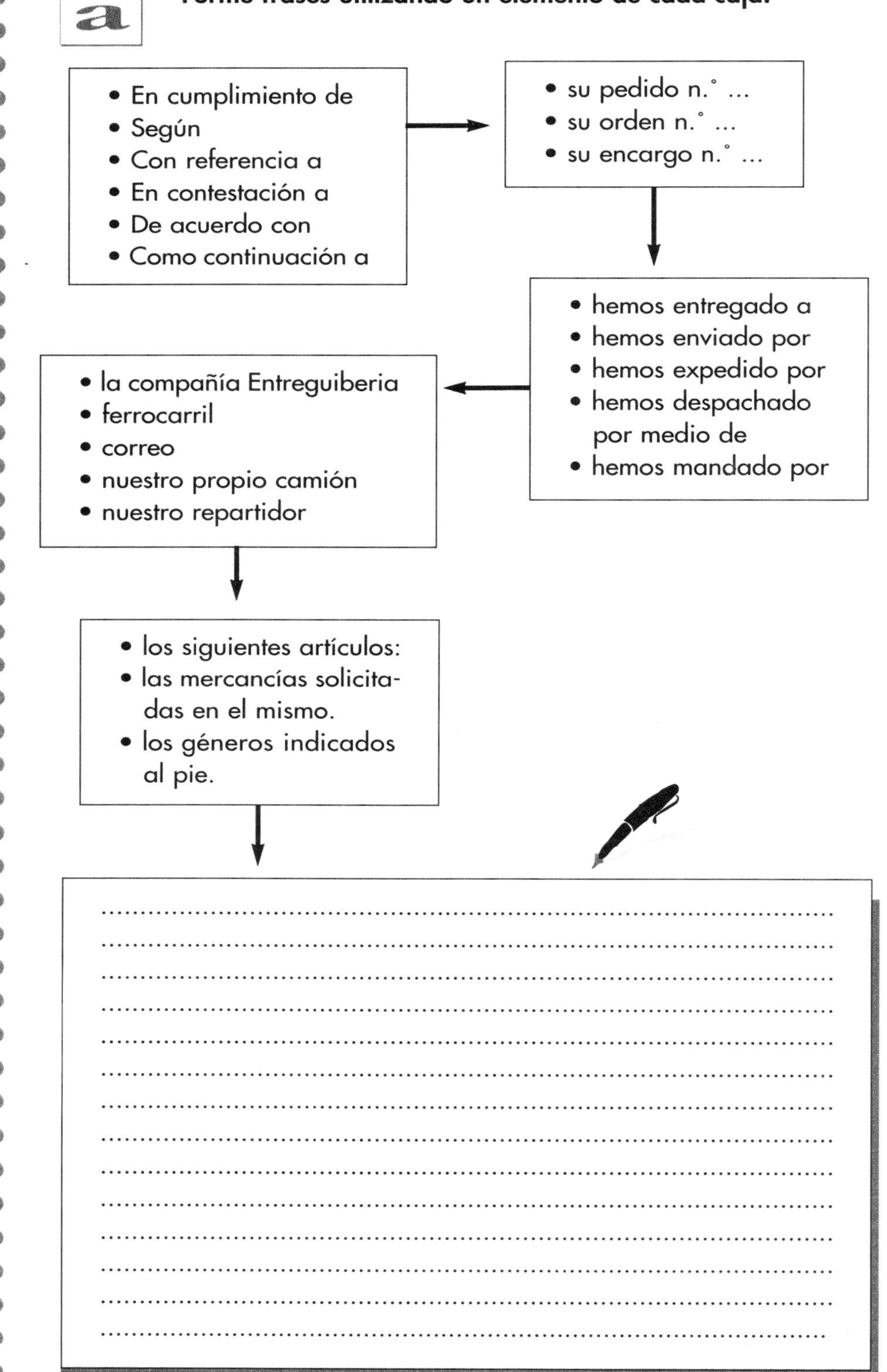

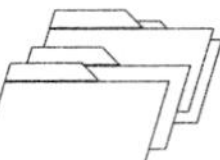

de prácticas

b **¿Qué solución/es debe proponer el proveedor al cliente? Escriba los números correspondientes en los círculos.**

1. *enviar otro catálogo*
2. *anular el pedido*
3. *esperar*
4. *mandar la mercancía por otro medio*
5. *indicar el error y esperar conformidad*
6. *proponer otro artículo*

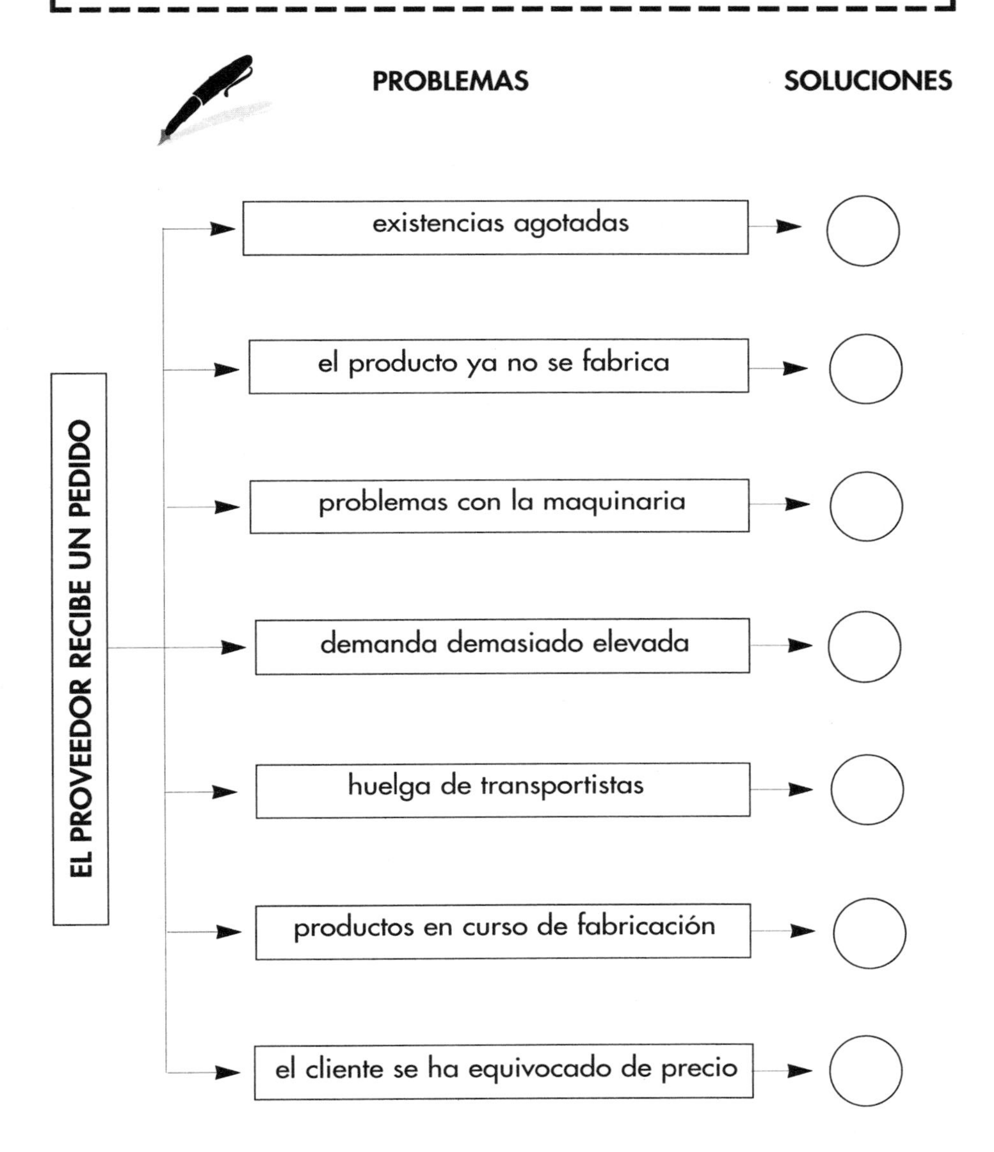

carpeta

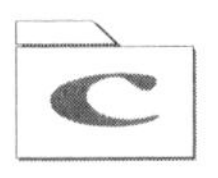

Forme frases como en el modelo, utilizando una expresión de cada recuadro.

- Huelga de transportistas / No poder / Los géneros solicitados en su pedido n.° 56 del 5 del actual

  A causa de la huelga de transportistas, no hemos podido expedir los géneros solicitados en su pedido n.° 56 del 5 del actual.

- Fuerte demanda / No estar en condiciones de / La totalidad de su pedido n.° AD-55

  ....

  ....

- Avería en nuestros talleres / Verse obligados a / La remesa de las mercancías

  ....

  ....

- Circunstancias imprevistas / Impedirnos / Los géneros

  ....

  ....

- Falta de existencias / Tener que / La expedición

  ....

  ....

- Motivos ajenos a nuestra voluntad / Obligarnos a / Su orden n.° 22

  ....

  ....

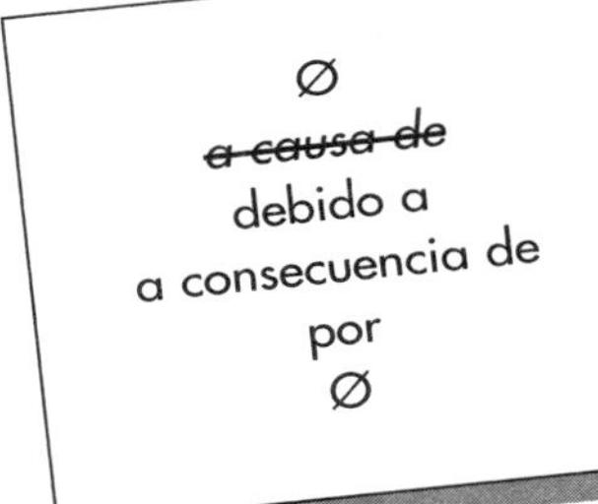

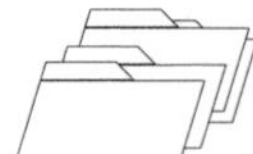

Forme parejas de sinónimos.

• imposibilitar	• diferir	• despachar
• remesa	• ejecutar	• expedición
• problema	• cumplimentar	• servir
• excusa	• agrado	• agotar
• cumplir	• demora	• expedir
• disculpa	• acabar	• anular
• impedir	• dificultad	• cancelar
• satisfacción	• aplazar	• retraso

¿Qué palabras son éstas?

MENPETOIMDI	CIASEXTENIS	RAMODE
CHADESPAR	CIÓNEXDIPE	PLITARCUMMEN

¿Tiene Ud. memoria? Escriba cuatro circunstancias que pueden originar un retraso en el cumplimiento de un pedido.

- ....
- ....
- ....
- ....

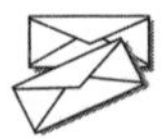

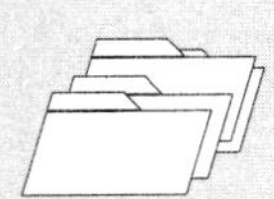

carpeta de gramática

a

Fíjese en estos usos de SER y ESTAR:

SER	ESTAR
• Formación de la voz pasiva de los verbos • Ocurrir, tener lugar • Construcción: ser + infinitivo • Material	• Con el gerundio (expresa una acción momentánea) • Resultado de una acción, una transformación, un proceso • Ubicación, presencia • Juicio objetivo, opinión

b

Ahora, complete con SER o ESTAR en el tiempo y modo que convengan.

- .... seguros de que quedarán satisfechos.
- La entrega .... dentro de 3 fechas en sus oficinas.
- El objeto de la presente .... comunicarles que hemos enviado la mercancía.
- .... terminando la fabricación de los últimos lotes.
- Las cajas .... de cartón ondulado altamente resistente, por lo tanto, la mercancía .... muy bien protegida.
- Su máquina ha .... cargada hoy en el buque Corsario.
- Los artículos no .... disponibles hasta dentro de una semana.
- La factura .... en la caja nº. 1.
- La fabricación de las pesadoras electrónicas ya .... terminada.

c

Transforme las siguientes frases sustituyendo lo que va en cursiva por SER o ESTAR y utilizando las palabras del recuadro.

• agotado • verde • imposible • convencidos • impermeable

- *No podemos* mandarles la mercancía hoy debido a la huelga de Correos.
- Lamentamos no enviarles la mercancía. En efecto, *se nos ha acabado* el stock.
- Debido al mal tiempo de estas últimas semanas, la fruta todavía *no ha madurado*.
- Las prendas llegarán en perfectas condiciones, su embalaje *no puede ser atravesado por el agua*.
- *No dudamos* de que la mercancía llegará a su total satisfacción, como en envíos anteriores.

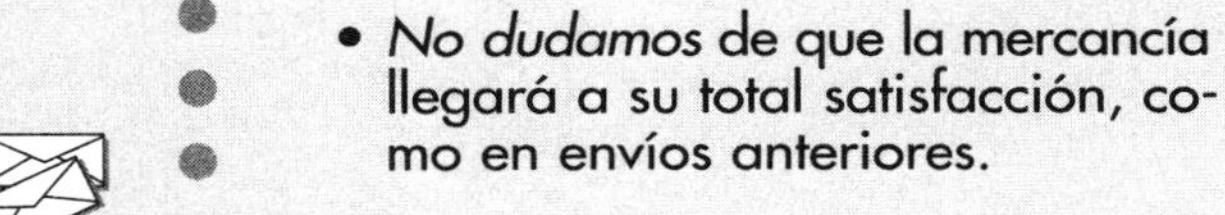

Escriba esta carta:

El día 14 de noviembre de 1997, la Librería Leoleo, sita en el nº 8 de la calle Balmes, 08007 Barcelona, escribe al Instituto Fray Luis de León, Plaça Sant Pere, 17007 Gerona, indicando que ha tomado buena nota de su pedido n.° 56 del día 7 del mismo mes.

Subraya que, de conformidad con el artículo 4 de sus Condiciones Generales de Venta, todos los pedidos de los nuevos clientes deberán ir acompañados de un talón por el importe total de las mercancías encargadas.

Ruega la remesa de un cheque (24.269 ptas.) a la mayor brevedad. Nada más recibido, procederá a efectuar la expedición.

Agradece y se despide.

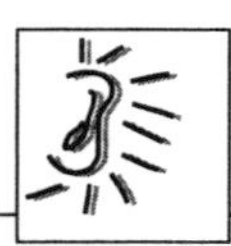

Escuche esta conversación telefónica entre la secretaria de AMSA y el responsable de almacén.

¿Qué carta va a enviar la secretaria al cliente?

miércoles 9

ANUNCIAR EL ENVÍO

- Agradecemos su pedido citado en la referencia y nos complace anunciarles que la mercancía solicitada en el mismo ha sido entregada a Transportes Correcorre.
- En cumplimiento de su pedido n.° ..., hemos expedido por ferrocarril los siguientes artículos:
- Según lo convenido, hemos despachado los artículos objeto de su pedido.

ANUNCIAR PROBLEMAS Y RETRASOS

- Lamentamos / Sentimos comunicarles que, debido a ..., no vamos a poder enviarles la mercancía.
- El envío se ha demorado a causa de...
- No podremos cumplimentar su pedido antes de ... días.
- Nos vemos obligados a aplazar / suspender la entrega.
- Enviaremos los artículos restantes tan pronto como...
- Tenemos que cancelar / anular / rescindir su orden.

CONCLUSIÓN Y DESPEDIDA

- Esperamos que las mercancías lleguen en buenas condiciones.
- Confiando en que queden satisfechos, les saludamos atentamente.
- Presentándoles excusas / disculpas por este retraso / esta demora, nos despedimos cordialmente.

OTRAS EXPRESIONES Y PALABRAS ÚTILES

- por medio de la presente...
- en cumplimiento de / según / en contestación a / de acuerdo con / como continuación a su pedido n.°... del...
- cumplimentar / ejecutar / servir un pedido
- despachar / expedir la mercancía
- efectuar / realizar una remesa / una expedición / un envío
- agrado / satisfacción / conformidad
- debido a / a causa de / a consecuencia de / por
- incidentes ajenos a nuestra voluntad
- la falta de existencias / las existencias están agotadas
- una huelga
- una avería
- un contratiempo / una dificultad / un impedimento / un inconveniente
- (no) estar disponible/s / no estar en existencias
- impedir / imposibilitar / dificultar
- aplazar / diferir / demorar / retrasar / postergar / posponer
- nos es / resulta imposible...

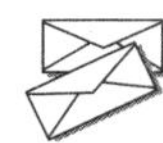

correo comercial

8

caso práctico

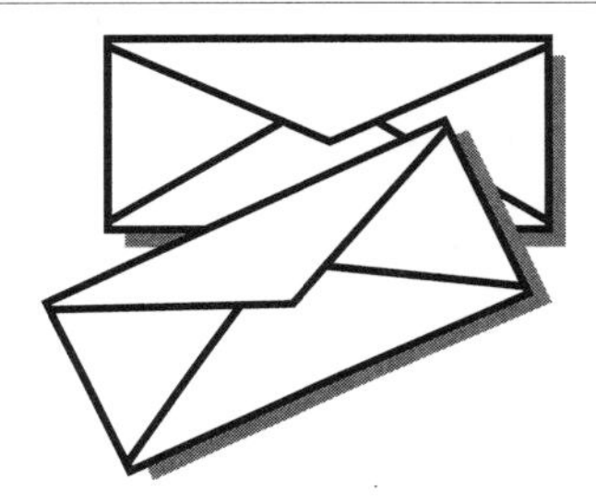

reclamaciones

Va a aprender a:

- *Hacer una reclamación explicando las causas.*
- *Proponer y solicitar arreglos.*

Mundo profesional

Ordene esta carta y escríbala según el modelo de la derecha.

1. Señores:

2. Atentamente,

3. Asunto: Reclamación

4. Al abrir los bultos, hemos advertido que los libros que se indican a continuación no corresponden a los solicitados.
   Hemos recibido:
   - 10 ejemplares de *El ABC de la conjugación,*
   - 20 ejemplares de *La correspondencia fácil.*

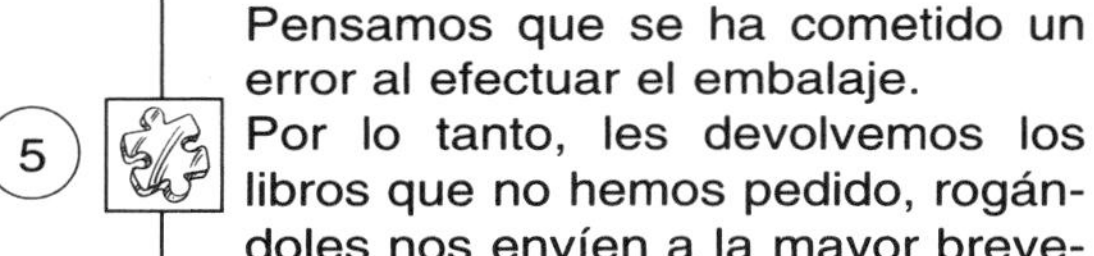

5. Pensamos que se ha cometido un error al efectuar el embalaje.
   Por lo tanto, les devolvemos los libros que no hemos pedido, rogándoles nos envíen a la mayor brevedad los que están pendientes de entrega.

6. n/ref.: O-15/96

7. nuestro pedido citado en la referencia.

8. En lugar de:
   - 10 ejemplares de *Conjugar es fácil,*
   - 20 ejemplares de *Técnicas de Correo Comercial.*

9. Esperamos recibir una pronta respuesta.

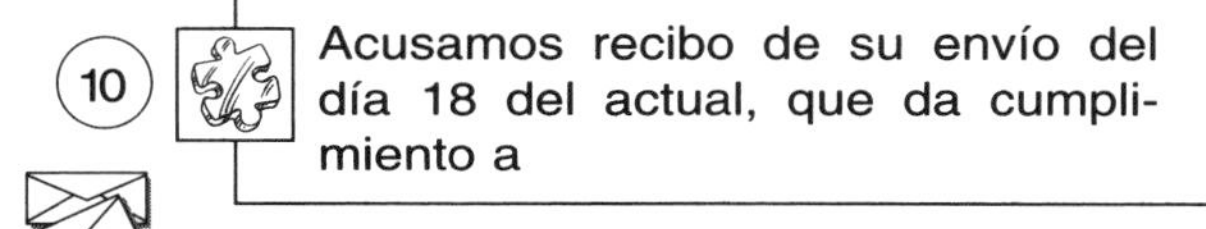

10. Acusamos recibo de su envío del día 18 del actual, que da cumplimiento a

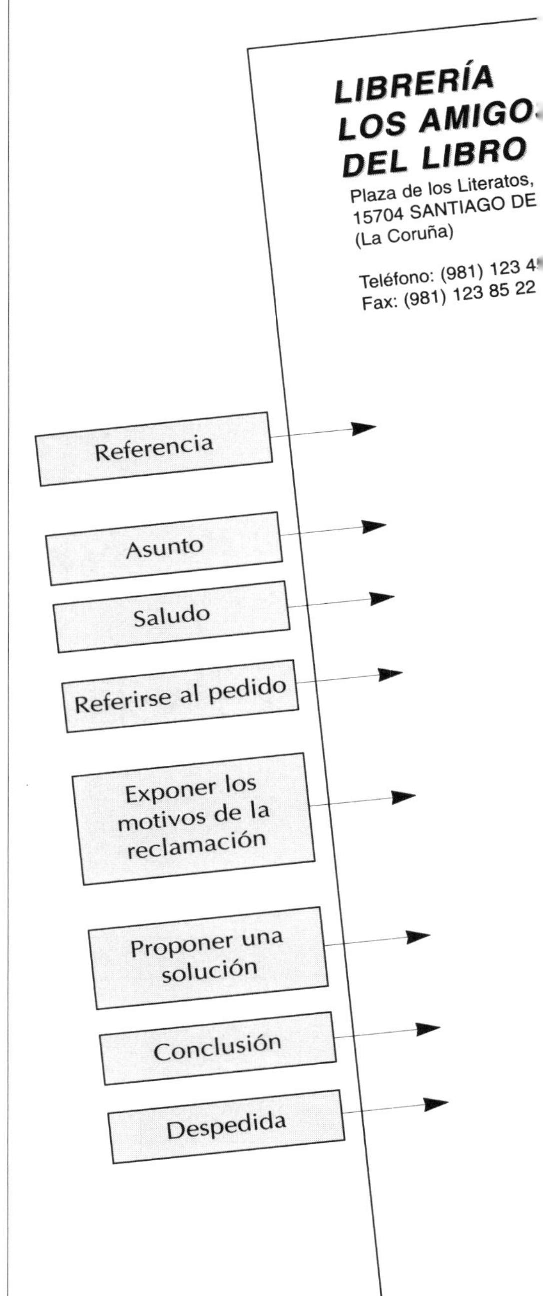

EDITORIAL PORTADA
Ronda Valle Inclán, 87
27004 LUGO

21 de abril de 1997

La Directora de Compras

María Salgueiro Ferreira
María Salgueiro Ferreira

Distribución de una carta de reclamación

en resumen

Vuelva a leer la carta y conteste estas preguntas:

- ¿Por qué ha enviado esta carta el comprador?

....
....

- ¿Le parece apropiada la solución que propone?

....
....

- Estudie el tono.

....
....

- El cliente supone que se ha cometido un error al embalar los libros. ¿Qué otras circunstancias podrían haberlo originado?

....
....
....
....

- El cliente reexpide los libros equivocados solicitando el envío de los correspondientes a su pedido. ¿Qué otras soluciones podría proponer?

....
....
....
....

- ¿Cómo piensa que actuará el proveedor al recibir esta carta?

....
....
....

carpeta de prácticas

Escriba todas las cartas que pueda empleando una expresión de cada recuadro.

Señores:

1 su envío n.° 32 que corresponde a 2 Al 3 la mercancía, 4 5 Pensamos que se trata de 6 Por lo tanto, les rogamos nos 7 8 los artículos encargados.

Atentamente,

1
- Obra en nuestro poder
- Acusamos recibo de
- Acabamos de recibir

2
- nuestra orden n.° 43.
- nuestro pedido n.° 56.
- nuestro encargo n.° 22.

3
- revisar
- controlar
- examinar
- desempacar
- desembalar
- verificar

4
- hemos comprobado
- hemos advertido
- hemos notado
- hemos observado
- hemos constatado
- nos hemos dado cuenta de

5
- que ésta no correspondía a la pedida.
- que faltaban algunos géneros.

6
- un error en el envío.
- una equivocación involuntaria por su parte.
- un descuido al empacar la mercancía.

7
- hagan llegar
- expidan
- remitan
- manden
- despachen

8
- cuanto antes
- a vuelta de correo
- a la mayor brevedad
- en el más breve plazo

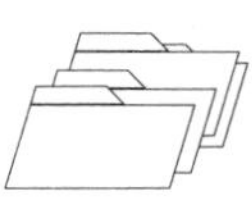

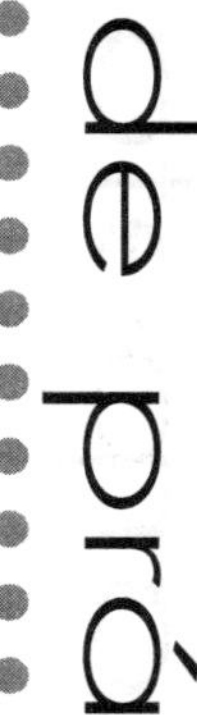

Clasifique estas frases. Escriba los números en las casillas.

1. No hemos solicitado el material que nos han expedido.
2. Lamentamos comunicarles que...
3. Todavía están pendientes de entrega los géneros objeto de nuestro pedido n.° 52.
4. Los precios de su factura no corresponden a los de su última tarifa.
5. Solicitamos la sustitución de la mercancía.
6. La calidad de la mercancía recibida es muy inferior a la de las muestras que nos mandaron.
7. Sentimos tener que anular este pedido.
8. Han olvidado tomar en cuenta el descuento del 3%.
9. La mercancía recibida no se corresponde con la encargada.
10. Nos han enviado dos relojes ref. 5A en lugar de los 5 solicitados.
11. Hemos de indicarles que...
12. Los siguientes géneros llegaron dañados:
13. Sentimos informarles que...
14. Agradeceremos nos envíen la mercancía a la mayor brevedad.
15. Tenemos que participarles que...
16. Les rogamos nos manden otra factura rectificada.

- INTRODUCIR LA RECLAMACIÓN ....
- CAUSAS DE LA RECLAMACIÓN ....
- PROPUESTA DE ARREGLO ....

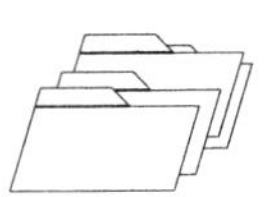

carpeta de prácticas

Complete este esquema.

- En las casillas* 1 **(en México, *recuadros)** escriba el número de la/s frase/s del ejercicio anterior que usaría el cliente para explicar su reclamación.
- En las casillas 2, el de las correspondientes a una posible solución.
- ¿Qué hará el cliente cuando esté conforme con la mercancía o factura recibidas?

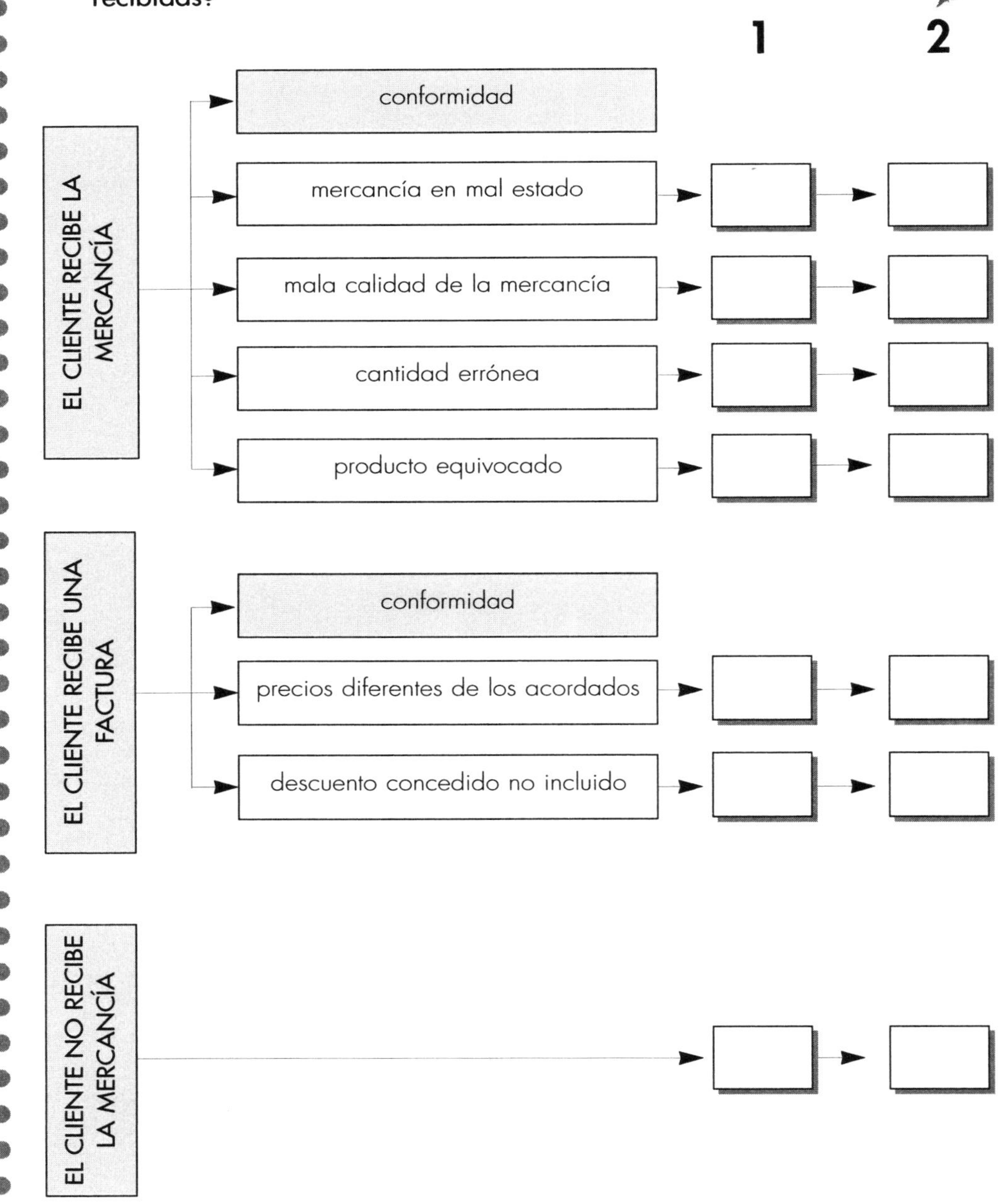

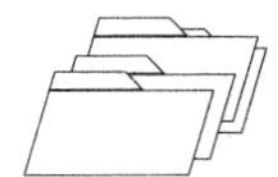

¿Cuál es el intruso?

molestia	satisfecho	perjudicar	reparo
alivio	conforme	subsanar	discrepancia
perjuicio	complacido	remediar	reserva
dificultad	disgustado	resolver	agrado

Escriba los sustantivos correspondientes a estos participios y adjetivos. ¿Qué palabra lee en la columna gris?

- averiado
- deteriorado
- defectuoso
- decolorado
- manchado
- deformado
- dañado
- roto

¿En qué malas condiciones pueden llegar estos artículos?

libros
....
....
....
....

muebles
....
....
....
....

cuadros
....
....
....
....

botellas de aceite
....
....
....
....

latas de guisantes*
(en México, *chicharros)
....
....
....

madejas de lana
....
....
....
....

productos congelados
....
....
....
....

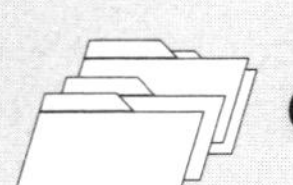

carpeta de gramática

Transforme estas frases utilizando el relativo "que". Fíjese en el modelo.

- Hemos recibido los sillones. Uno estaba manchado. — *Uno de los sillones que hemos recibido estaba manchado.*
- Nos han mandado las baldas. Dos no son del color solicitado.
- Correos nos ha entregado las enciclopedias. A una le faltaban las 20 primeras páginas.
- Les pedimos 10 estufas referencia PLMO6. Sólo hemos recibido 9.
- Hemos notado defectos en unas prendas. Se las reenviamos.

Forme frases uniendo los elementos de cada columna.

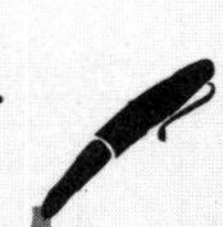

Acusamos recibo del envío •	CUYO	• colores difieren de los del catálogo.
Les devolvemos su factura de •	CUYA	• tapas estaban dobladas.
Les reexpedimos dos juegos de sábanas •	CUYOS	• motivo no nos ha sido comunicado con la suficiente antelación.
Les retornamos dos diccionarios •	CUYAS	• referencias figuran más arriba.
No podemos aceptar el retraso •		• importe les rogamos deduzcan el descuento otorgado.

La compañía de transporte le acaba de entregar una caja que contiene los suministros de oficina que usted solicitó en su pedido n.° 97/21. Al abrirla se da cuenta de que los brazos de las lámparas referencia 25gh están un poco torcidos.

Escriba al proveedor (PRI, S.A.) y proponga una solución.

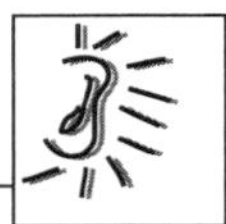

Escuche esta conversación telefónica entre dos compañeros de trabajo y escriba la carta de reclamación.

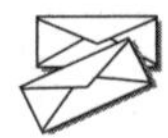

COMUNICAR RETRASOS Y PROBLEMAS
- Sentimos comunicarles que todavía no hemos recibido la mercancía objeto de nuestro pedido de referencia.
- Llevamos ya tres días esperando la entrega de la mercancía.
- Hasta la fecha los artículos solicitados en nuestro pedido n.° ... no han sido entregados.
- La mercancía recibida no corresponde a la encargada.
- Nos han enviado ... en lugar de...
- No hemos solicitado el material que nos han expedido.
- Al revisar la mercancía, hemos constatado que los siguientes artículos estaban deteriorados:
- Los precios no coinciden con los de su última cotización.

EXPLICAR
- Suponemos que se trata de...
- Al parecer / Según nosotros, se ha cometido un error / una equivocación al...
- Estas roturas parecen debidas a...
- Rogamos nos faciliten una aclaración / una explicación.

PROPONER UNA SOLUCIÓN
- Solicitamos la sustitución de la mercancía dañada.
- Les devolvemos los artículos deteriorados.
- Rogamos nos envíen los géneros pendientes de entrega a la mayor brevedad.
- Pensamos que la mejor solución sería...
- Sentimos tener que anular este pedido.

OTRAS EXPRESIONES Y PALABRAS ÚTILES
- revisar / controlar / examinar / verificar / desempacar / desembalar
- hemos constatado / comprobado / notado / observado / advertido
- diferir de / no corresponder a / no corresponderse con / no coincidir con / no concordar con
- un defecto / un desperfecto / una rotura / una avería / un vicio de fabricación
- deteriorado / dañado / averiado / defectuoso / roto / húmedo / mojado / manchado / rayado / deformado / abollado / inservible
- en malas / pésimas condiciones / en mal estado
- no aceptar / no quedarse con / rechazar las mercancías
- devolver / reenviar / reexpedir / retornar
- una sustitución (sustituir) / una reposición (reponer)
- una devolución
- subsanar / corregir / solucionar / resolver / remediar
- no ser atendido de forma satisfactoria
- no quedar satisfecho / conforme / complacido
- daños y perjuicios
- un reparo / una discrepancia / una reserva

correo comercial

9

caso práctico

respuestas a las reclamaciones

Va a aprender a:

- *Contestar favorable o desfavorablemente a una reclamación.*
- *Presentar disculpas.*
- *Ofrecer soluciones.*

Mundo profesional

Ordene esta carta y escríbala según el modelo de la derecha.

1. Sentimos los errores inhabituales cometidos al expedir su mercancía.
2. Pidiéndole nuevamente excusas por este contratiempo que en adelante procuraremos evitar,
3. Le saluda atentamente
4. Distinguido cliente:
5. los artículos que faltaban.
6. Acusamos recibo de su carta del 2 del actual.
7. nos reiteramos a sus órdenes.
8. Hemos hecho lo necesario para mandarle hoy mismo

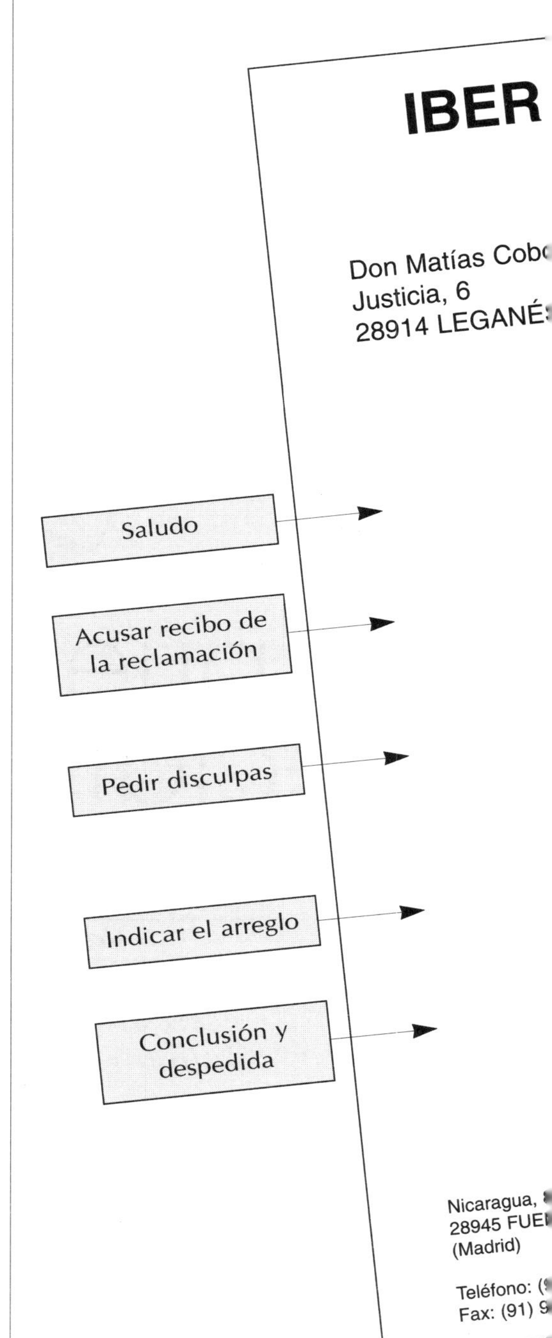

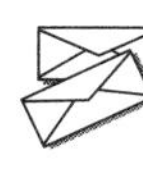

JL, S.A.

4 de junio de 1997

Jaime Alonso Suárez

Jaime Alonso

EXPEDICIONES

Distribución de una carta de respuesta a una reclamación

en resumen

Vuelva a leer la carta y conteste estas preguntas:

- ¿Cuál es el objeto de esta carta?

....

....

....

- ¿Qué postura ha adoptado el proveedor?

....

....

....

- ¿Por qué?

....

....

....

- ¿Cuánto tiempo ha transcurrido entre la carta de reclamación y su respuesta?

....

....

....

- ¿Qué conclusiones saca?

....

....

....

- ¿Cómo cree que reaccionará el cliente?

....

....

....

- Estudie el tono.

....

....

....

carpeta de prácticas

Relacione los problemas con los motivos. (Una con una flecha.)

Problemas	**Motivos**
MERCANCÍA DAÑADA	• mal uso de la máquina
PRECIOS MÁS ALTOS	• huelga
ERRORES	• avería en la cadena de producción
AVERÍAS	• embalaje poco resistente
RETRASOS	• defecto de fabricación
	• mala interpretación de las condiciones de venta
	• descuido por parte del departamento de expedición
	• mercancía mal acondicionada
	• accidente de circulación sufrido por el transportista
	• olvido por parte de la secretaria
	• malos tratos por parte de la compañía de transporte
	• falta de existencias
	• caídas de las cajas durante el transporte

Ahora, escriba frases como en el modelo. Estas palabras le serán muy útiles:

• *ser originado por*	• *ser causado por*	• *ser provocado por*
• *ser el resultado de*	• *ser ocasionado por*	• *ser debido a*
• *ser consecuencia de*	• *resultar de*	• *provocar*

Los retrasos en la entrega de los géneros han sido ocasionados por una avería en la cadena de producción.

Termine estas frases poniendo la/s letra/s que corresponda/n:

1. No podemos asumir ....
2. Estamos dispuestos a ....
3. Aceptamos ....
4. Nos es imposible hacernos responsables de ....
5. Uds. serán compensados por ....
6. Vamos a resarcirles de ....
7. Declinamos la responsabilidad de ....
8. No podemos aceptar ....
9. Estamos dispuestos a indemnizarles de ....

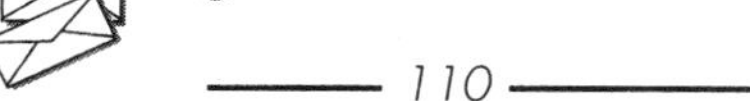

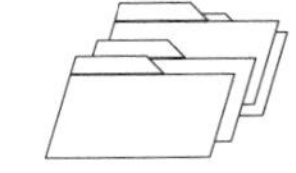

a. los perjuicios sufridos.
b. su reclamación.
c. las molestias originadas.
d. la devolución de los artículos.
e. la responsabilidad de los daños.
f. esta avería por mal uso.
g. acceder a su demanda.
h. los daños causados.
i. estos problemas ajenos por completo a nuestra voluntad.

Ahora, ponga el número de cada frase del ejercicio c en la casilla que corresponda.

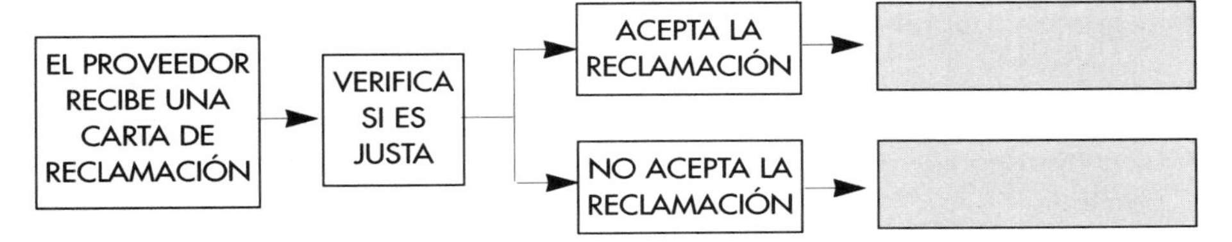

Y, para terminar, una las frases del ejercicio b con las del ejercicio c, por medio de estos nexos y como en el ejemplo. Escriba las que más le llamen la atención.

- por (lo) tanto
- en consecuencia
- por consiguiente
- por ello
- de modo que

Los retrasos en la entrega de los géneros han sido ocasionados por una avería en la cadena de producción. Por lo tanto, estamos dispuestos a acceder a su demanda.

....
....
....
....
....
....
....
....
....
....
....
....
....

carpeta de prácticas

f

Forme frases uniendo los elementos de cada columna.

- Les rogamos disculpen
- Les pedimos
- Les presentamos →
- Rogamos acepten nuestras
- Le rogamos perdone

1. excusas por
2. disculpas por
3. Ø

- esta omisión.
- nuestra tardanza.
- los errores cometidos.
- los daños sufridos.
- estos incidentes ajenos a nuestra voluntad.
- las molestias originadas.
- este contratiempo.
- nuestra equivocación.
- este retraso inhabitual.
- este olvido.

- ....
- ....
- ....
- ....
- ....
- ....
- ....
- ....
- ....
- ....
- ....
- ....
- ....

g

Una con una flecha cada palabra con su antónima.

agrado •	• descontento
dañar •	• discrepar
resolver •	• puntualidad
tardanza •	• dejar pendiente
coincidir •	• reparar

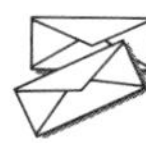

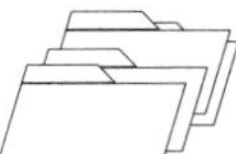
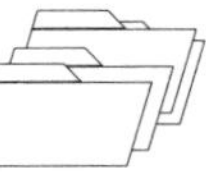

h **Tache la forma incorrecta.**

- arreglamiento / arreglo
- erróneo / erroneo
- de buena calidad / de buena cualidad
- cuvrir los daños / cubrir los daños
- litijio / litigio
- quantidad / cantidad
- embalaje / embalage
- equivocación / equivocamiento

i **Intente primero completar este cuadro con las palabras que conozca. Luego podrá mirar las que le proporcionamos.**

SUSTANTIVOS	VERBOS	SINÓNIMOS
	indemnizar	
	aceptar	
	rechazar	
	omitir	
	acordar	
	comprobar	

- *verificar*
- *rehusar*
- *indemnización*
- *aceptación*
- *comprobación*
- *rechazo*
- *omisión*
- *admitir*
- *convenir*
- *compensar*
- *acuerdo*
- *no tener en cuenta*

carpeta de gramática

Observe el significado de estos prefijos:

IN- / IM-: Falta o negación.
DES-: Carencia.
DIS-: Contrario.

Asocie los prefijos anteriores con las palabras del recuadro. Las definiciones le ayudarán.

• empaquetar	• previsto	• culpa	• adecuado
• gustar	• agrado	• aceptable	• cortesía
• conforme	• similitud	• conocer	• completo

IN- / IM-
- .... Que no se puede admitir.
- .... No apropiado.
- .... Fortuito.
- .... Que no consta de todos sus elementos.

DES-
- .... Contrariedad, enojo.
- .... Ignorar.
- .... Sacar de un paquete.
- .... Falta de educación, de urbanidad.

DI(S)-
- .... Que no está de acuerdo.
- .... Razón que se da para pedir perdón.
- .... Diferencia.
- .... Molestar.

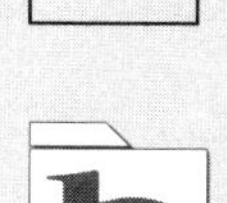

Ahora, complete las siguientes frases con esas palabras realizando en las mismas los cambios necesarios.

- Les pedimos .... por este incidente ....
- .... por completo los motivos por los cuales la mercancía ha llegado ....
- Somos conscientes del .... que les ha causado nuestra tardanza.
- Lamentamos comunicarles que estamos .... con la solución que ustedes proponen.
- Reconocemos que el embalaje de las cajas era ....
- La .... que ustedes han notado en los productos con respecto a las fotos del catálogo es normal.
- La .... por parte del repartidor es efectivamente .... y comprendemos que les haya ....

TAREA FINAL

Conteste a la carta de reclamación del señor Antonio Toledo en la que éste indicaba un error en la factura n.° 12/97 y solicitaba el envío de otra debidamente extendida.

Después de escuchar la grabación, conteste por escrito a la Sra. Sanz indicándole que la garantía de su microondas caducó hace ya un mes y que, por lo tanto, la reparación correrá por su cuenta.

ACUSAR RECIBO DE LA RECLAMACIÓN
- Obra en nuestro poder su carta del... en la que nos indican...
- Respondemos a su escrito del... y les anunciamos que...

PEDIR DISCULPAS
- Lamentamos / Sentimos las molestias originadas / causadas / sufridas.
- Les presentamos excusas / disculpas por los errores cometidos.
- Rogamos disculpen...

ACEPTAR LA RECLAMACIÓN
- Aceptamos la responsabilidad de...
- Vamos a resarcirles de...
- Les vamos a indemnizar de / por...
- Como compensación, les proponemos...
- Uds. serán compensados por...

RECHAZAR LA RECLAMACIÓN
- Nos es imposible hacernos cargo de...
- No podemos acceder favorablemente a...
- No podemos asumir la responsabilidad de...
- Declinamos la responsabilidad de...

CONCLUSIÓN Y DESPEDIDA
- Esperando que estos problemas no se repitan, les saludamos cordialmente.
- Pidiéndoles nuevamente disculpas por estos contratiempos, nos reiteramos a sus órdenes y les saludamos atentamente.

OTRAS EXPRESIONES Y PALABRAS ÚTILES
- nos permitimos recordarles que...
- hacemos todo lo posible para...
- investigar / averiguar / controlar
- una corrección / una rectificación
- responsabilizarse de / hacerse cargo de
- resarcir / indemnizar / compensar
- un descuido / un olvido / una inadvertencia por parte de...
- una equivocación / un error / una confusión
- un retraso / una demora / un atraso / una tardanza
- un daño / un perjuicio
- les aconsejamos que se dirijan a...
- mal uso / mala interpretación
- originar / causar / provocar / ocasionar
- ser debido a / ser consecuencia de
- correr / estar a cargo de / por cuenta y riesgo de
- la garantía no cubre los daños sufridos por...
- sufragar los gastos
- a porte debido / pagado
- convenir / acordar / pactar
- por (lo) tanto / por eso / en consecuencia / por consiguiente
- en adelante / en el futuro / en lo sucesivo

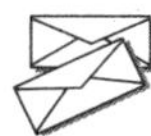

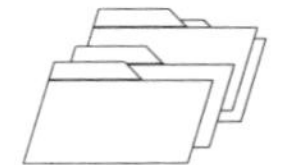

b **Vuelva a leer las tres cartas del ejercicio a y complete este esquema del proceso de cobro.**

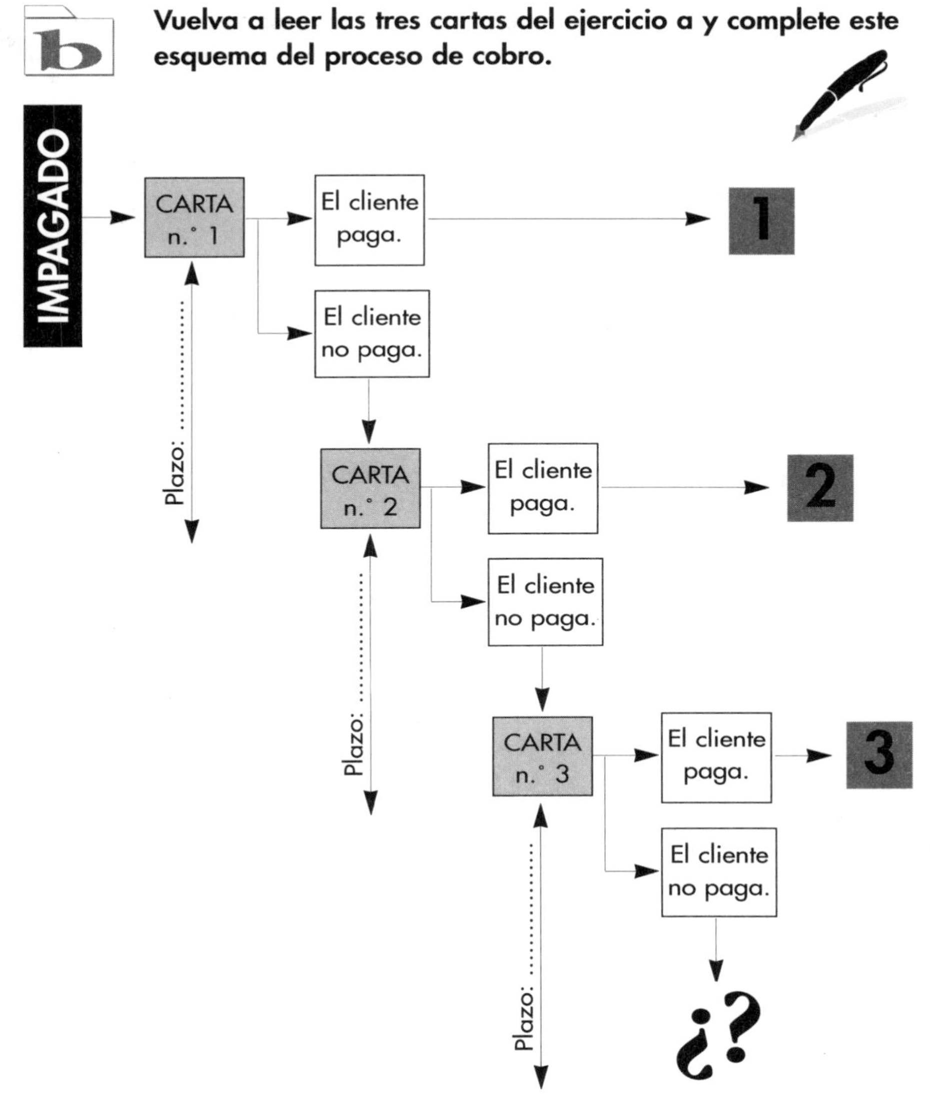

- ¿Cómo actuará el proveedor en las situaciones 1, 2 y 3 cuando este cliente vuelva a cursarle un pedido?

1 ....

2 ....

3 ....

- ¿Qué hará en caso de negativa de pago por parte del cliente?

....

....

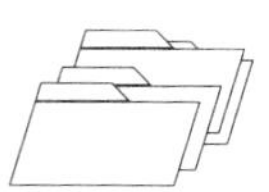

carpeta de prácticas

c **Ordene esta carta. Luego, busque las palabras que corresponden a las abreviaturas situadas a la derecha.**

	Banco Elduro
	les remitimos
	(setenta y cuatro mil
	número 147.
	como pago
	Junto con
	doscientas cuarenta y dos)
	un cheque
	Atentamente,
	por importe
	la presente
	del
	de 74.242 pesetas
	de su factura
	Distinguidos señores:

n.°

Atte.

impte.

Bco.

ch/

s/fra.

ptas.

d **Indique la forma correcta y escríbala.**

- Un cheque .... cargo del banco Lapeseta.
  a) *a* b) *por* c) *en*

- Acompañamos talón .... nuestra cuenta corriente.
  a) *con carga a* b) *con cargo a* c) *con carga en*

- Le enviamos un talón .... el banco Cajabilbao.
  a) *contra* b) *sobre* c) *desde*

- Un talón .... importe de 1.000 pesetas.
  a) *por* b) *de* c) *con*

- Le remitimos una letra a su .... para aceptación.
  a) *carga* b) *cargo* c) *favor*

- Su cuenta arroja un saldo .... que le rogamos se sirva cancelar.
  a) *acreedor* b) *a su favor* c) *deudor*

- El importe de la factura .... a 25.369 pesetas.
  a) *asciende* b) *adeuda* c) *arroja*

- El no contestar Uds. a nuestro .... nos obliga a...
  a) *recordatorio* b) *recuerdo* c) *recordar*

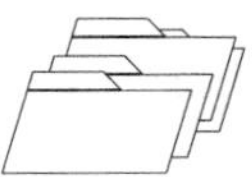

Relacione cada forma de pago con su definición. Ponga los números en las casillas.

1. Transferencia de fondos a través de los servicios de Correos.
2. Operación bancaria por la que se transfiere una cantidad de una cuenta a otra.
3. Mandato de pago para que una persona cobre cierta cantidad de los fondos que el que lo expide tiene en un banco.
4. Sistema de venta en el que el comprador paga la mercancía en el momento de recibirla.
5. Instrumento de crédito por medio del cual el librador (acreedor o vendedor) ordena al librado (deudor o cliente) que pague una determinada cantidad al vencimiento acordado a una tercera persona (tomador o entidad de crédito del vendedor).

transferencia bancaria ☐ giro postal ☐ cheque / talón ☐

contrarreembolso ☐ letra de cambio ☐

¿Verdadero o falso?

- El acreedor es la persona que debe dinero .... ☐
- Cuando el vendedor recibe un pago abona la cantidad en la cuenta del cliente .... ☐
- Un cliente moroso es aquél que se retrasa en los pagos .... ☐
- Satisfacer una deuda significa deberla .... ☐
- Girar una letra significa mandarla por correo .... ☐
- Saldar una deuda es pagarla enteramente .... ☐
- Hacer efectiva una cantidad significa pagarla .... ☐
- Extender un cheque es lo mismo que cumplimentarlo .... ☐
- Cobrar una cantidad es lo contrario de recibirla .... ☐

Forme parejas de sinónimos:

1 suma	10 recurrir a	1 / 9	....
2 pagar	11 ascender	....	....
3 valor	12 adeudar	....	....
4 deber	13 liquidar	....	....
5 importar	14 abogado	....	....
6 girar una letra	15 abonar	....	....
7 letrado	16 acudir a	....	....
8 importe	17 librar un efecto	....	....
9 cantidad	18 saldar	....	....

carpeta de gramática

a

Complete estas cantidades relacionando las que están en cifras con las que están en letras. (Se trata de pesetas.)

15.941	• Doscientas	707.552
	• Treinta y nueve mil catorce	
9_ _.2_ _	• Quince mil	3._ _ _.0 _ _
	• Tres millones novecientas mil cuarenta	
43.210	• .... trece	294
	• Mil ciento doce	
1_._ _ _.0_ _	• Cuarenta .... doscientas	_._ _1._1_
	• Novecientas veintitrés mil doscientas ochenta y ocho	
1.032.101	• .... treinta y dos mil	29.013
	• Doce millones ochenta mil tres	
3_._ _4	• .... mil quinientas	1._1_
	• Tres millones mil catorce	

Redacte esta carta.

La editorial Buenlibro escribe a la academia de idiomas Lengua Viva (un antiguo cliente), porque es la segunda vez que ésta tarda en pagar sus facturas:

- Se extraña del retraso.
- Pide que conteste indicando los motivos de las demoras.
- Reclama el saldo.

Escuche la grabación y escriba la carta para el señor Aurrecoechea.

PARA ACOMPAÑAR TALONES, LETRAS, ETC.

- Les remitimos con la presente un cheque por importe de ... ptas. del banco ..., con el cual liquidamos /saldamos su factura n.°...
- Incluimos una letra a su cargo, a 30 d/f. y por valor de ... ptas. , con el ruego de que nos la devuelva aceptada a la mayor brevedad.
- Les devolvemos aceptada la letra a nuestro cargo que acompañaba su carta fechada el...

RECLAMACIONES DE COBRO

- Les indicamos que su cuenta arroja un saldo a nuestro favor de ... ptas.
- Les recordamos que nuestra factura n.° ... sigue pendiente.
- Agradeceremos liquiden el saldo a nuestro favor en el más breve plazo.
- Lamentamos informarles que, de no recibir su pago en el plazo de ... días, recurriremos a un letrado / un abogado.

OTRAS EXPRESIONES Y PALABRAS ÚTILES

- una cantidad / una suma
- arrojar un saldo deudor
- adeudar / deber
- vencer / el vencimiento
- efectuar un pago
- abonar / pagar / hacer efectiva una cantidad
- saldar / liquidar / abonar / pagar / satisfacer una deuda
- ascender a / importar
- extender un cheque
- del / a cargo del / contra el banco...
- con cargo a nuestra cuenta corriente
- por importe / valor de ... ptas.
- como pago de / en cancelación de / correspondiente al pago de
- aceptar una letra / un efecto
- extender / librar / girar una letra
- abonar en / acreditar una cuenta
- cargar una cuenta
- un recordatorio
- un cliente moroso / la morosidad
- la vía judicial
- un extracto de cuenta

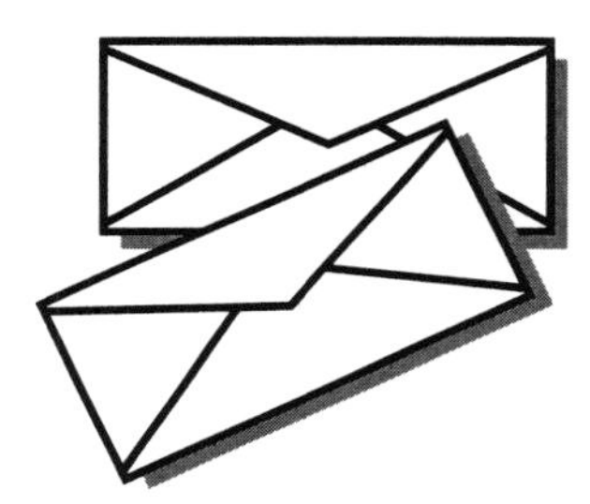

Correo comercial en Hispanoamérica (Argentina y México)

Mundo profesional

cartas Argentina

En la mayoría de los países hispanohablantes (como Bolivia, Chile, Paraguay o Uruguay), la terminología utilizada en el correo comercial es muy similar a la española. En cambio, en otros países como Argentina o México, puede presentar ciertas diferencias.

Primer caso: ARGENTINA

Lea estas cartas detenidamente y compare los siguientes puntos de las mismas con los de las cartas españolas.

- La distribución y ubicación de los diferentes apartados.
- Los saludos.
- El uso de los adjetivos posesivos correspondientes a la forma Ud.
- Las despedidas.
- El tono.
- ¿Qué expresiones y palabras no conocía?

ONAINDÍA - MARTÍNEZ ASOCIADOS

San Juan, Rep. Argentina, 1 de agosto de 1996

Sr. Consejero
Don Tomás Yebra
Narváez, 68
28009 MADRID

Ref.: Vuestra Nota Nº 18 /996 - CEX 13/07/96

De mi mayor consideración:

Tengo el agrado de dirigirme a Ud., para expresarle el agradecimiento de nuestra Empresa y el mío propio, por su gentil atención en relación con vuestra nota de referencia.

Sin otro particular saludo atentamente, a Ud. y al personal que le colabora.

Ing. Luis Miguel Onaindía

INFORMATIZACIÓN DE PROYECTOS DE INGENIERÍA EXPLOTACIÓN.

PEDRO DE VALDIVIA 218 (E) - (CP 3200) SAN JUAN.
REPÚBLICA ARGENTINA - TEL: (54-64) 221155/224478.

cartas Argentina

CARLOS LÓPEZ Y Cía. S.R.L.

Buenos Aires, 15 de noviembre de 1996.

LAVALLE 1208 - P.B.
(1040)TEL./FAX: (54) 374 3333
CASILLA DE CORREO 25 - SUC. 2
BUENOS AIRES - ARGENTINA

Señora Directora
Tamara Rojo
Sección Económica
Casa Argentina en Madrid
Paseo de Recoletos 21
28014 MADRID

De nuestra consideración:

Por la presente tenemos el agrado de dirigirnos a Uds. a fin de solicitar su amable cooperación para obtener información sobre las posibilidades con ese país.

Nuestra empresa está dedicada a la exportación de productos argentinos desde el año 1958, y nuestra línea de productos está compuesta por productos alimenticios para consumo humano y animal.

A continuación les detallamos la línea de productos que manejamos, solicitando tengan a bien hacernos llegar nómina de firmas comerciales a las que podamos dirigir nuestras ofertas.

PRODUCTOS ALIMENTICIOS PARA CONSUMO HUMANO

Frutas secas y desecadas
Aceite de oliva y aceitunas
Legumbres: porotos, lentejas y garbanzos
Grasas animales y comestibles: bovina y porcina
Grasas vegetales hidrogenadas

Rogamos a Uds. tengan a bien enviarnos la información que obre en v/ poder sobre las reglamentaciones y condiciones que rijan para la importación de los mismos.

Agradeciendo v/amable colaboración, hacemos propicia la oportunidad para saludarles muy cordialmente.

Igor Iglesias
Gerente de ventas

cartas Argentina

FAX TRANSMISSION

ACRR S.A.
AGENTES ADUANEROS
AGENTES DE TRANSPORTES

Viamonte 1050 2A
(1050) Buenos Aires
Tel. 472-1200 /374-1888
FAX: 472-1201

MERCURY 1576060U001 310196 20:50/22:51
FROM: ACRR S.A. - Viamonte 1050 2A - BUENOS AIRES - ARGENTINA
TEL: 54-1 472-1200/374-1888
FAX 54-1 471-1201 (CRN: 02478)
TO: 002325520099
ATTN: SRA. JIMENEZ

MONDAY 25Th NOVEMBER 1996

TO: CASA DE ARGENTINA
ATTN: SRA. DIRECTORA ROCIO JIMENEZ
FROM: ANTONIO PASTOR

DE MI CONSIDERACION:

COMO HABIAMOS ACORDADO EN LA JORDANA TECNICA: "COMO HACER NEGOCIOS" DESARROLLADA EN EIBAR EL DIA 16 DE SEPTIEMBRE DEL CORRIENTE AÑO, LE INFORMO QUE YA ESTA FUNCIONANDO LA DELEGACION ARGENTINA DE JUAN AGUILAR Y CIA.S.A.

COMO YA LE EXPLIQUE EN DICHA JORNADA, SOMOS AGENTES ADUANEROS Y DE CARGA INTERNACIONAL. TENEMOS NUESTRA CENTRAL EN IRUN Y OFICINAS EN EIBAR, ELCHE, Y OVIEDO. TAMBIEN TENEMOS CASA PROPIA EN SUIZA, AUSTRIA, Y VENEZUELA.

AQUI ESTAMOS FUNCIONANDO EN LAS OFICINAS DE LA FIRMA ACRR, CON QUIENES TENEMOS UN ACUERDO DE COLABORACION, YA QUE ELLOS DESARROLLAN SUS ACTIVIDADES EN EL MISMO CAMPO.

QUEDANDO A SU DISPOSICION Y SIEMPRE ATENTO A SUS CONSULTAS Y COMENTARIOS, LO SALUDO.

ATTE.

LIC. JESUS PASTOR
DELEGADO A.V.S. ARGENTINA.

EL TEJEDOR S.R.L.

NICARAGUA 1298 / Tel: 0882-77865
SAN SALVADOR DE JUJUY
REPUBLICA ARGENTINA

San Salvador de Jujuy, 14 de octubre de 1996

Sres.
MUNDO ARGENTINO EN ESPAÑA
Sección Económica y Comercial
At.
Consejero Eduardo Ullate
S/D

De nuestra consideración:

Nuestra fábrica ubicada en la Provincia de Jujuy, se dedica a la fabricación de Hilados y Tejidos en fibra de Camélidos, lana de oveja y fibras de algodón. Se trata ésta de una de las pocas industrias de este tipo, sobrevivientes por su origen semiartesanal.

Las materias primas totalmente naturales son obtenidas en la región, y en nuestro proceso de fabricación observamos estrictas normas en cuanto a los controles de calidad, terminación y preservación del medio ambiente.

En nuestros procesos naturales de fabricación no son utilizados químicos contaminantes ni fibras sintéticas, asegurando un producto de alta calidad, ecológico y terminado a mano.

Entre la línea de productos más destacados, mencionamos los siguientes:
HILADO DE LLAMA CARDADO NATURAL
HILADO DE OVEJA CARDADO NATURAL Y TEÑIDO
TEJIDOS DE LLAMA Y OVEJA EN DIVERSOS DISEÑOS Y COLORES
MANTAS DE VIAJE, FRAZADOS, PONCHOS, MATRAS
TEJIDO DE PUNTO A MANO
TEJIDO DE ALGODON ARTESANAL

Solicitamos a Usted, tenga a bien difundir nuestra oferta entre los potenciales clientes de vuestro mercado, en caso de localizar interesados disponemos de muestras y catálogos para ilustrar nuestros productos.

Desde ya a su entera disposición, lo saluda atte.

P/ El Tejedor S.R.L.
Ruth Valeria Miró

cartas México

Segundo caso: MÉXICO

Aquí tiene frases hechas y expresiones sacadas de cartas mexicanas.

a) ¿Cómo se dice? Ponga los números correspondientes.

- Anunciar .... [ ]
- Pedir / Solicitar .... [ ]
- Rogar .... [ ]
- Dar las gracias .... [ ]
- Adjuntar documentación .... [ ]
- Expresar un deseo .... [ ]

1. Me es grato poner en su conocimiento que...
2. Me complace agradecerle el envío de...
3. Me permito dirigirle la presente con objeto de solicitarle...
4. Mucho agradeceré...
5. Con mi reconocimiento...
6. Sírvase...
7. En la esperanza de que la colaboración entre nuestras empresas continúe su fructífera trayectoria...
8. Anexo a la presente, sírvase encontrar...
9. Agradeciendo la atención que tenga a bien conceder a la presente...
10. Me es muy grato dirigirme a Ud. y solicitarle...
11. Me complace remitirle, adjunto a la presente...
12. Le agradecemos su muy amable comunicación del día 9 de los corrientes.
13. Tenga a bien...

¿Qué diferencias ha advertido respecto al español peninsular?

b) De las siguientes expresiones, señale con una cruz las que también son de uso muy corriente en España.

- ☐ Hago llegar a Ud...
- ☐ Me complace remitirles...
- ☐ En espera de su amable respuesta...
- ☐ Me es grato acusar recibo de...
- ☐ De la manera más atenta...
- ☐ Hago propicia la ocasión para...
- ☐ Me complace agradecerle el envío de...
- ☐ Por medio de la presente...

c) Transforme estas frases en español peninsular. Fíjese en el ejemplo.

- Me cumple hacer referencia a su amable carta fecha el 10 de mayo.
- ○ *Refiriéndome a su atenta fechada el 10 de mayo...*

- Me valgo de la presente para solicitarle...
- ○ ....

• Me refiero a su atento escrito del 7 de los corrientes en el que gentilmente me informa sobre...

○

....

• Al agradecer a usted la atención que brinde a esta solicitud...

○

....

• Le solicito, de la manera más atenta, se sirva hacerme llegar copia del acta de la reunión del 15 de abril.

○

....

transcripciones

CASO PRÁCTICO 1: EMPLEO

- ¡Ring, ring!
- Sí...
- Gloria, por favor, tome nota... Responda a la carta de Natalia Martínez, todos los datos están en el expediente... Déle primero las gracias por contestar a nuestro anuncio. Dígale que nos ha interesado su candidatura y que podemos recibirla aquí el lunes 13 de mayo a las 9 horas para una entrevista. Termine con la despedida acostumbrada. ¡Ah!... se me olvidaba, que si no puede venir ese día, que nos llame para concertar otra cita.

CASO PRÁCTICO 2: OFERTAS

Victoria, por favor... Necesito que me esboce para mañana sin falta una circular para mandar a los colegios de la provincia. Anuncie que acabamos de recibir una nueva colección de materiales que seguramente serán de su interés. Insista en que se trata de materiales innovadores y que los ofrecemos a precios muy ventajosos. Escriba una carta original. Piense en expresiones que llamen la atención y traduzcan la originalidad de estos materiales, como "unos libros a la vanguardia de la enseñanza" o algo por el estilo. Adjunte el catálogo de la colección.
Tráigame el borrador sobre las 11, después de la reunión con los representantes de Ediciones Castilla.
Gracias.

CASO PRÁCTICO 3: SOLICITUDES

JULIO ESTEBAN: Ya sabe que los empleados se quejan del calor en verano.
MARCOS CANO: El año pasado compramos ventiladores, pero no bastan. En pleno verano estamos a 30°C todas las tardes y es inaguantable. Y cuando recibimos a nuestros clientes, tampoco podemos trabajar a gusto.
JULIO ESTEBAN: Bueno, tenemos que tomar una decisión. Lo mejor sería instalar un sistema de climatización. Llevamos ya tres o cuatro años pensándolo...
MARCOS CANO: Ya... Lo malo es que contamos con un presupuesto bastante reducido y no podemos permitirnos el lujo de parar las actividades durante mucho tiempo para la instalación.
JULIO ESTEBAN: Desde luego... Bueno... A ver qué decidimos. Necesitaríamos presupuestos y plazos.
MARCOS CANO: Hoy mismo le diré a la secretaria que busque en IBERTEX a los instaladores de la zona y les escriba pidiéndoselos. Elegiremos al que nos proponga el plazo de ejecución más corto y al mejor precio.
JULIO ESTEBAN: Espero que nos llegue el presupuesto...

CASO PRÁCTICO 4: RESPUESTAS A LAS SOLICITUDES

- Agencia Multilingua, ¿dígame?
- Buenos días, soy la secretaria de Infotex. Llamaba porque necesitamos traducir nuestros folletos técnicos.
- Sí... buenos días. ¿Qué tipo de folletos?
- Son folletos técnicos de sistemas informáticos.
- ¿A qué idiomas necesita la traducción?
- Al inglés y al francés.
- ¿Y cuántas páginas representan aproximadamente?
- Unas 90. Mire, también necesitamos traducir nuestros contratos de colaboración y algunas cartas comerciales. ¿Sería tan amable de enviarme una lista de precios para estas traducciones? Ah, y lo más importante para nosotros, los plazos.
- Por supuesto, ¿me da sus datos?
- Infotex, Aravaca , 23.
- ¿Aquí, en Madrid?
- Sí, 28040.

- ¿El teléfono y el fax?
- 352 22 33 y 352 22 40. Como se trata de un volumen importante, supongo que nos concederá algún descuento.
- Sí. Hoy mismo le mando un fax con toda esta información y la llamo mañana por la mañana para concertar una entrevista en sus oficinas.
- Bueno, pues espero su fax. Gracias.
- Hasta mañana.

CASO PRÁCTICO 5: PEDIDOS

Por favor, Patricia, envíe un pedido a Ofishop. Y pida:
5 tacos de post-it referencia CP999,
2 packs de portaminas referencia PM210,
10 paquetes de bolsas referencia BO487,
5 paquetes de 1.000 hojas de papel referencia PH258,
8 cartuchos de tinta referencia CT351,
y 10 cajas de disquetes referencia CD410.
Los precios y las condiciones están en la tarifa que nos mandaron la semana pasada por fax. Gracias.

CASO PRÁCTICO 6: INFORMES COMERCIALES

- Hola, Carmen, ¡qué hay!
- Hola, mira, el jefe me ha dicho que escriba una carta a la empresa ALSA para pedir informes sobre un nuevo cliente... y yo, es que ni idea...
- No te preocupes, que yo te ayudo. A ver... En ese cajón hay unos formularios modelo para mandar con estas cartas. Constan ya de todas las preguntas necesarias. Coge uno. ¿Ves? Arriba escribe el nombre de la empresa que nos quiere cursar el pedido. En la carta sólo tienes que pedir que te lo devuelvan una vez cumplimentado. Lo importante es ser muy cortés, ya que vas a pedir unos datos, digamos... delicados. ¡Ah!, y la longitud... sobre todo ve al grano, cuanto más corta sea la carta mejor. Termina asegurando reserva y despídete.
- Bueno, pues empiezo con "Señores".
- No, mujer... "Distinguidos señores".
- Vale. ¿Y luego?
- Les quedaríamos muy agradecidos....

CASO PRÁCTICO 7: ENVÍOS

- ¡Ring, ring!
- ¿Ramón...? Soy Tere.
- Hola... ¿Qué tal el fin de semana?
- Pues todo el domingo de fiesta. Celebramos el cumpleaños de Marta. Así que toda la tarde con los amiguitos y los primos de la niña. Y me han dejado la casa...
- Ya, ya, con serpentinas y cosas de ésas por todas partes...
- Bueno... Mira, necesito que me prepares un envío para esta misma tarde.
- Tú dirás...
- Te doy la lista.
- Y yo voy mirando si quedan en el ordenador.
- A ver, referencia ATD555: 15 unidades, referencia CFD245: 5 unidades, referencia MLJ123: 7 unidades y la XXV111: 10 unidades.
- Pues lo siento, pero de la CFD245 sólo quedan 2. Ayer encargamos 50 y, ya sabes, el plazo de entrega es de 5 días. La CFF222 es muy similar. ¿Las quieres?
- Ya lo sé, pero yo no te puedo contestar. Primero tendré que preguntárselo al cliente. De todas formas vete preparándome las otras para esta tarde. Voy a mandar un fax al cliente y luego te llamo.
- Vale. Oye, ¿almorzamos juntos?
- ¿Me pasas a buscar sobre las 2?

- Muy bien. Hasta luego.

CASO PRÁCTICO 8: RECLAMACIONES

- En es..pera de sus no..ti..cias le sa..lu..da..mos aten..ta..men..te. Ya está. Archivo (clic), imprimir (clic), aceptar (clic)... ¿Qué pasa, que no sale? Archivo (clic), imprimir (clic), aceptar (clic)... ¿Y estas manchas de tóner? Haré otra. Archivo (clic), imprimir (clic), aceptar (clic)... ¡Ay, otra vez con manchas!
- ¿Qué pasa?
- ¡Mira!
- Pero bueno, si la impresora es nueva. La compramos hace dos meses.
- Ya lo sé... la semana pasada se atascaba el papel y ahora, estas manchas...
- Haz otra, por si acaso.
- (Clic, clic, clic...) Peor que antes...
- A ver... Horrendo... Llama al técnico para que pase a arreglarla o nos traiga otra.
- Son las siete y media, ya se habrá ido. Le pondré un fax explicándoselo todo y mañana a primera hora lo llamo.

CASO PRÁCTICO 9: RESPUESTAS A LAS RECLAMACIONES

¡Ring, ring!

CONTESTADOR: Almacenes Aidetodo, buenos días. Todas nuestras líneas están ocupadas. Le atenderemos en breves momentos. Espere, por favor.

TELEFONISTA: Almacenes Aidetodo, buenos días.
TERESA SANZ: Póngame con la sección de electrodomésticos, por favor.
TELEFONISTA: Un momento, por favor.

VOZ 1: Sí, ¿dígame?
TERESA SANZ: Buenos días, llamaba porque el microondas que compré el año pasado ya no funciona y...
VOZ 1: Perdone, señora, esto es librería, ahora la paso con electrodomésticos.

TELEFONISTA: Almacenes Aidetodo, buenos días.
TERESA SANZ: Señorita, por favor, quisiera hablar con el encargado de electrodomésticos...
TELEFONISTA: No se retire...
TELEFONISTA: Señora, lo siento, la extensión no contesta. ¿Quiere volver a llamar dentro de un rato o prefiere dejar un mensaje?
TERESA SANZ: ¡Esto es el colmo! Llevo esperando 10 minutos...
TELEFONISTA: Lo siento, pero...
TERESA SANZ: Mire, el microondas que les compré el año pasado ya no funciona y quisiera que pasaran a revisarlo esta tarde.
TELEFONISTA: ¿Me da su nombre y su número de cliente?
TERESA SANZ: Soy la Sra. Teresa Sanz y mi número es el AC-25411-FG-9.
TELEFONISTA: En cuanto vuelva el encargado le paso el recado. No se preocupe. Ya la llamarán...
TERESA SANZ: Tiene que ser esta tarde.
TELEFONISTA: Yo se lo digo. Adiós.
TERESA SANZ: Adiós.

CASO PRÁCTICO 10: COBROS

TELEFONISTA: Prodex, buenos días.

SEÑOR B.A.I.: Buenas tardes. Quisiera hablar con el contable, por favor.

TELEFONISTA: ¿De parte de quién?

SEÑOR B.A.I.: Soy Bernardo Aurrecoechea Iturrigorri.

TELEFONISTA: ¿Aurrechea...?

SEÑOR B.A.I.: Aurrecoechea Iturrigorri.

TELEFONISTA: Sí... un momentito, por favor.

TELEFONISTA: ¿Sr. Aurrechea?...

SEÑOR B.A.I.: Aurrecoechea...

TELEFONISTA: Sí, perdone. La Sra. Moreno está hablando por otra línea, en cuanto termine le paso.

TELEFONISTA: Marta, el Sr. Auchea quiere hablar contigo.

MARTA MORENO: ¿Diga?

SEÑOR B.A.I.: Buenas tardes, soy Bernardo Aurrecoechea Iturrigorri de Lamsa.

MARTA MORENO: Buenas tardes.

SEÑOR B.A.I.: Llamaba porque he comprobado un olvido en su última factura. No han tomado en cuenta el descuento del 3%.

MARTA MORENO: Espere un momento, por favor. Voy a coger su expediente... Es la 32-5D, ¿verdad?

SEÑOR B.A.I.: Sí, ésa es.

MARTA MORENO: Efectivamente... No se preocupe, hoy mismo le mando otra factura rectificada.

SEÑOR B.A.I.: Gracias.

MARTA MORENO: Adiós.

claves

FUNDAMENTOS

Ejercicio 1
Distinguida señora:
Atentamente, / En espera de su respuesta, la saludamos cordialmente. / Aprovechamos la oportunidad para enviarle nuestros más cordiales saludos.
Estimado cliente: / Señor:
Atentamente, / Aprovechamos la oportunidad para enviarle nuestros más cordiales saludos.
Señores: / Estimados señores:
Atentamente, / Reciban atentos saludos de / Sin otro particular, les saludamos cordialmente.

Ejercicio 2
16 de marzo de 1997 / Vigo, 2 de julio de 1997 / Calle Alcalá, 3 / 12006 CASTELLÓN / n/ref.: AL/er o AL/ER / Asunto: factura n.° 125 / Distinguidos señores: / Estimado Sr.: / Atentamente, / Anexos: 2 facturas.

Ejercicio 3
s/ref.: su atenta del 19/03/1997.
n/ref.: RS/am o RS/AM.
s/ref.: Su pedido n.° 52.
n/ref.: EO/rf o EO/RF.

CASO PRÁCTICO 1

ORDENE LA CARTA: 2, 7, 1, 5, 8, 3, 6, 9, 4.

EN RESUMEN
Natalia Martínez Alonso.
La carta va dirigida al Departamento de Personal.
Se escribió el mismo día. Muestra el interés por parte de la remitente.
Su objetivo es concertar una entrevista para conseguir el puesto.
Las palabras son sencillas y adecuadas.
El tono es cortés y sincero.
No hay faltas.
Las frases son cortas.
Es fácil de comprender, ya que es muy concisa.
Producen una buena impresión. La remitente (que solicita un puesto de secretaria) muestra que domina la ortografía, la gramática y la redacción de cartas (muy importante para este trabajo).

CARPETA DE PRÁCTICAS

Ejercicio b
Profesión: profesional, profesionalidad.
Labor: laboral, laborable.
Entrevista: entrevistador, entrevistar.
Capaz: capacitar, capacidad, capacitación.
Experiencia: experimentado, experto.
Conocimientos: conocedor, conocer.
Licenciatura: licenciado, licenciarse.

Ejercicio d
Horizontales: entrevista, desempeñar, tarea, anuncio, experiencia, cumplir, historial, requisitos, solicitar.
Verticales: diploma, puesto, diario, datos, vacante.

Ejercicio f
Hacer un cursillo, cursar estudios, adquirir experiencia, desempeñar un puesto, cuento con ocho años de experiencia, cubrir una vacante, ampliar información, formar parte de la plantilla, aspirar a un empleo, las pruebas de selección, adjunto les remito mi *curriculum vitae*, la trayectoria profesional, concertar una entrevista.

CARPETA DE GRAMÁTICA

Ejercicio a
Son agudas y no llevan acento: las palabras terminadas en consonante, excepto "s" y "n".
Son llanas y no llevan acento: las palabras terminadas en vocal, en "s" o "n".
Todas las palabras que no cumplan estas reglas llevan una tilde en la vocal de la sílaba fuerte.

Ejercicio b
Cargo (llana), nivel (aguda), función (aguda), seriedad (aguda), título (esdrújula), selección (aguda), interés (aguda), eficaz (aguda), diplomado (llana), contratación (aguda), entrevistar (aguda), taquígrafa (esdrújula), cualificado (llana), licenciatura (llana), conocimientos (llana).

Ejercicio c
Condiciones, profesionales, vacantes, intereses, actividades, eficaces, cazatalentos, jóvenes.

claves

CASO PRÁCTICO 2

ORDENE LA CARTA: 7, 1, 9, 6, 5, 3, 2, 4, 8.

EN RESUMEN
Con una pregunta muy directa en la que se resumen las ventajas del producto con abundantes adjetivos. A continuación, la empresa vendedora ofrece su colaboración. La pregunta *¿Cómo?* incita al lector a seguir la lectura.
Perfecta, profesional, luminosos, espectaculares, duraderos, revolucionaria, funcional, compacto, elegante, maravilla de la tecnología, sinnúmero de altísimas prestaciones, pre-cio altamente competitivo.
El tono directo, parecido al publicitario, es muy adecuado, ya que despierta el interés del lector.
Se le ofrece un teléfono gratuito de contacto para conseguir una demostración sin compromiso. Se emplea el imperativo.
1 folleto técnico y 10 pruebas de impresión para que el posible cliente pueda comprobar las cualidades del producto.

CARPETA DE PRÁCTICAS

Ejercicio a
EL PERSONAL: personal cualificado (12), un equipo de especialistas (37).
LAS INSTALACIONES: modernas instalaciones (28), maquinaria de alta precisión (29), tecnología avanzada (31).
EL PRODUCTO: un extenso surtido (5), excelentes prestaciones (7), excelente relación calidad-precio (9), una infinita variedad de modelos (10), complacer sus gustos (11), revolucionario (13), inmejorable (14), un producto innovador (17), la nobleza de los materiales empleados (19), soberbio diseño (20), una amplísima gama (21), de la máxima calidad (23), elegante (24), una completa colección (25), sencillo manejo (30), las mejores materias primas (36).
EL SERVICIO: un servicio a medida (1), un eficaz servicio postventa (2), satisfacer sus expectativas (3), una amplia red de distribuidores autorizados (6), un servicio de expedición puntual (15), una atención personalizada (26), responder a sus necesidades (27), 20 años de experiencia (34), servicio completo y ágil (35), el Registro de Empresa AENOR según norma ISO 9001 (38).
LA OFERTA: una oferta especial (4), una oferta limitada a existencias (8), precios asequibles (16), precios increíbles (18), precios muy competitivos (22), precios en promoción (32), precios ventajosos (33).

Ejercicio b (Las combinaciones son muy numerosas. Indicamos sólo las más importantes.)
TIENDA DE ELECTRODOMÉSTICOS
En nuestro establecimiento encontrarán (un servicio a medida, precios ventajosos, un equipo de especialistas, una infinita variedad de modelos, personal cualificado, precios increíbles, precios muy competitivos, una atención personalizada, etc.).
Disponemos de / Contamos con (un eficaz servicio postventa, 20 años de experiencia, un equipo de especialistas, una amplia red de distribuidores autorizados, una infinita variedad de modelos, personal cualificado, un servicio de expedición puntual, etc.).
Queremos brindarles (un servicio a medida, un atención personalizada, etc.).
Nuestro único objetivo es (satisfacer sus expectativas, complacer sus gustos, responder a sus necesidades).
Ofrecemos un producto (inmejorable, revolucionario, elegante).
Nuestros modelos cuentan con (excelentes prestaciones, una excelente relación calidad-precio).
Nuestros productos destacan por su/s (precios ventajosos, precios asequibles, precios increíbles, tecnología avanzada, sencillo manejo).
Garantizamos durante todo el año (un servicio a medida, un eficaz servicio postventa, un servicio completo y ágil, un extenso surtido, un servicio de expedición puntual, precios increíbles, precios muy competitivos, una atención personalizada, etc.).
Les recordamos que se trata de (precios en promoción, una oferta especial, una oferta limitada a existencias).
EMPRESA DE TRABAJO TEMPORAL
En nuestro establecimiento encontrarán (un servicio a medida, un servicio completo y ágil, un equipo de especialistas, personal cualificado).
Disponemos de / Contamos con (un servicio a medida, 20 años de experiencia, un equipo de especialistas, el Registro de Empresa AENOR según norma ISO 9001, personal cualificado).
Queremos brindarles (un servicio a medida, un servicio completo y ágil).
Nuestro único objetivo es (satisfacer sus expectativas, complacer sus gustos, responder a sus necesidades).
Trabajamos con (un equipo de especialistas, personal cualificado).
LABORATORIO FARMACÉUTICO
Disponemos de / Contamos con (20 años de experiencia, un equipo de especialistas, el Registro de Empresa AENOR según norma ISO 9001, personal cualificado, un servicio de expedición puntual, modernas instalaciones, maquinaria de alta precisión, etc.).
Utilizamos (tecnología avanzada, maquinaria de alta precisión, las mejores materias primas).
Nuestro laboratorio está dotado de (maquinaria de alta precisión, modernas instalaciones, personal cualificado).
Hemos desarrollado (un producto innovador).
Nuestro único objetivo es (satisfacer sus expectativas, complacer sus gustos, responder a sus necesidades).
Trabajamos con (un equipo de especialistas, personal cualificado).

Ejercicio c
UN PERFUME: floral, afrutado, seductor, discreto, ligero, sensual, sutil.
UN ORDENADOR PORTÁTIL: resistente, rápido, vanguardista, potente.
UN SOFÁ: cómodo, funcional, espacioso, confortable, elegante.
UN CD-ROM: educativo, interactivo, divertido, completo.

claves

Ejercicio d
Perfumes , ordenadores portátiles, CD-Rom's, sofás.
Infinita variedad de modelos, completa colección, amplísima gama.
Increíbles, ventajosos, competitivos.
Perfumes, ordenadores portátiles, CD-Rom's, sofás.
Adjetivos del ejercicio c.
Atención personalizada.
Una oferta especial, una oferta limitada a existencias, precios en promoción.

Ejercicio e
Oferta 1: 12, 10, 2, 16, 7, 17, 9, 4, 13.
Oferta 2: 5, 15, 8, 3, 11, 6, 14, 1.

CARPETA DE GRAMÁTICA

Ejercicio a
Contacte, cumplimente, aproveche, envíe, pase, lea, piense, sepa, haga, siga, pida.

Ejercicio b
Siga, pase, lea, piense, aproveche, pida, sepa, envíe, cumplimente, contacte, haga.

Ejercicio c
Complételo, solicítelo, remítanoslo, llámelo, conózcalas/descúbralas, conózcalas/descúbralas, ahórrelo, elíjala.

CASO PRÁCTICO 3

ORDENE LA CARTA: 1, 10, 8, 3, 7, 9, 6, 5, 4, 2.

EN RESUMEN
Un catálogo, precios, las posibilidades de descuento y las condiciones de venta.
Porque necesita valorar las condiciones de la empresa vendedora.
También a otros proveedores. Cuando tenga toda la información, elegirá al proveedor que le proponga el producto con la mejor relación calidad-precio.
F, F, V.

CARPETA DE PRÁCTICAS

Ejercicio a
Necesitamos, en, a la mayor brevedad, enviaran, indicaran, descuentos, corresponderse con, en, a la, pronta, por anticipado.

Ejercicio b
2, 4, 1, 3.

Ejercicio c
Demanda de cotización. Nos sería grato recibir sus mejores precios para el suministro de estos artículos así como sus condiciones de venta y entrega.
Solicitud de presupuesto. Por lo tanto, les rogamos nos hagan un presupuesto para su compra e instalación.
Petición de muestras. Agradeceríamos nos remitieran unas muestras de las siguientes moquetas:. Asimismo, agradeceremos nos faciliten sus condiciones generales de venta.

Ejercicio d
Lanzar, pedidos, oferta, encargar.

Ejercicio e
Proveer, rogar, agradecer, ofertar, acordar, proponer, atender, descontar.

Ejercicio f
Nos es grato = nos complacemos en, facilitar información sobre = indicar, las existencias = el stock, en espera de su respuesta = esperando su contestación, remitir = mandar, indicar un precio = cotizar un precio, cursar un pedido = pasar un pedido, lista de precios = relación de precios, de antemano = por anticipado, rogamos el envío de = agradeceríamos nos mandaran, precios en vigor = precios vigentes.

CARPETA DE GRAMÁTICA

Ejercicio a
Incluya/incluyera, especifique/especificara, conceda/concediera, atienda/atendiera, tenga/tuviera, puntualice/puntualizara, cotice/cotizara, remita/remitiera, haga/hiciera, facilite/facilitara.

Ejercicio b
Presente y futuro de indicativo/presente de subjuntivo, condicional/imperfecto de subjuntivo.

Ejercicio c
Agradeceríamos nos incluyera, Solicitamos nos conceda, Le encarecemos puntualice, Le ruego me remita, Agradecería me hiciera.

CASO PRÁCTICO 4

ORDENE LA CARTA: 5, 2, 1, 6, 3, 7, 9, 4, 8.

EN RESUMEN
Tres días.
El vendedor ha tomado muy en cuenta la demanda del posible cliente. Su prontitud en la respuesta muestra su seriedad y atención.
Captar a un nuevo cliente.
La leerá y comparará con las de otros proveedores para elegir al que mejor cumpla sus expectativas.
Sí, porque cada carta de solicitud representa un cliente potencial.

CARPETA DE PRÁCTICAS

Ejercicio b
PRECIOS: descuento, precios sin IVA, precios con IVA, tarifa vigente desde el 16/06/1997.
ENTREGA: servicio propio, agencia Corrremucho, 15 días desde la recepción de los pedidos, domicilio del comprador.
PORTE: debido, pagado.
PAGO: giro postal, letra, transferencia bancaria, tarjeta de crédito, talón nominativo,contrarreembolso.

Ejercicio c
Vigente, contrarreembolso, descuento, tarifa, IVA.

Ejercicio d
Distinguido señor, poder, fechada, correo aparte, catálogo, visitarle, información, órdenes.
Distinguidos señores, agradecemos, gustosamente, adjunto, último, variedad, productos, servicio, gracias.

Ejercicio e
Ofreciéndonos a su servicio, obra en nuestro poder, escrito, solicitado, fechado.

CARPETA DE GRAMÁTICA

Ejercicio b
Por, con, sobre, a, por, con, sin, hasta, en, hasta, después de, mediante, a, en, para, con, en, por.

CASO PRÁCTICO 5

ORDENE LA CARTA: 6, 2, 5, 8, 1, 7, 4, 3.

EN RESUMEN
Los detalles indispensables sobre la mercancía: denominación, referencia, cantidad, precios (se alude al catálogo). Las condiciones: plazos de entrega y pago.
Al cursar el pedido, el cliente se compromete a su pago. Al aceptarlo, el vendedor se compromete a servirlo en las condiciones estipuladas. En caso de incumplimiento por una de las partes, el pedido servirá de base a la reclamación.
El tono es directo y cortés. La introducción y la despedida son cortas y sencillas. Sólo se destaca lo más importe: el detalle de las mercancías y las condiciones.

CARPETA DE PRÁCTICAS

Ejercicio a
LA MERCANCÍA: longitud, cantidad, contenido, peso, precio unitario, denominación, tamaño, color, talla, referencia.
EL ENVÍO: lugar de entrega, acondicionamiento, seguro de transporte, medio de transporte, gastos de transporte, plazo de entrega.
LA OPERACIÓN MERCANTIL: forma de pago, descuentos, condiciones de pago.

Ejercicio b
Referencia (19): AS-589.
Longitud (2): carretes de 150 metros.
Cantidad (3): 150 unidades.
Contenido (4): botellas de 0,75 litro.
Peso (5): 150 kilogramos.
Precio unitario (10): 259 pesetas.
Tamaño (14): 20 cm x 85 cm.
Denominación (11): manzanas Golden.
Color (17): rojo.
Lugar de entrega (1): nuestro almacén, nuestras oficinas.
Acondicionamiento (6): palet, cajas acolchadas, contenedor, cajas de madera.

claves

Medio de transporte (8): ferrocarril, compañía El Veloz, correo, buque.
Gastos de transporte (9): porte pagado, porte debido.
Plazo de entrega (15): 15 días desde la recepción del pedido.
Forma de pago (12): talón, letra de cambio, transferencia bancaria.
Descuentos (13): 2%.
Condiciones de pago (16): a recepción de la mercancía, a 30 días.

Ejercicio c
Todas las combinaciones siguientes, con un elemento de cada caja, son correctas:
Nos es grato
Me complace
Nos complacemos en efectuarles
enviarles
solicitarles nos sirvan el presente pedido.
la siguiente orden.
el siguiente pedido.
Agradeceré
Solicitamos
Rogamos nos envíen
nos manden
el envío de estas mercancías.
los géneros abajo indicados.
los artículos señalados al pie.
los siguientes productos.
Agradeceríamos el envío de
nos remitieran estas mercancías.
los géneros abajo indicados.
los artículos señalados al pie.
los siguientes productos.

Ejercicio d
Los géneros deben ser entregados: 9, 19.
En un plazo máximo de cuatro semanas: 6, 8, 10, 15, 16.
Por mediación de Transportes Prisaprisa: 2, 12.
Su oferta n.° 9: 1, 4, 11.
Abonaremos el importe: 3, 7.
Por letra a 60 d/f: 5, 13, 14, 17, 18.

Ejercicio e
Fecha, número, páginas, señor, teléfono, su, atenta, pasado, último, siguientes, artículos, referencia, pesetas, corriente, cheque, atentamente, director, post data, factura, duplicado.

Ejercicio f
Demora, urgente, prontitud, importe, entrega, cumplimentar, remesa, cumplimento, detallar.

Ejercicio g
Abonar, atender, entregar, esperar, remitir, agradecer, pagar, cumplir, satisfacer, cursar, solicitar, expedir.

CARPETA DE GRAMÁTICA

Ejercicio a
Refiriéndonos, contestando, encareciéndoles, resultando, sustituyendo.

Ejercicio b
Pareciéndonos sus productos de excelente calidad, les rogamos nos envíen las siguientes cantidades.
Necesitando poner los géneros a la venta antes de fin de mes, les encarecemos un envío urgente.
Confiando en un pronta entrega, les saludamos atentamente / nos despedimos muy cordialmente.
Siendo éste nuestro primer pedido, les facilitamos unas referencias a las que pueden acudir.
Dándoles las gracias por su prontitud, les saludamos atentamente / nos despedimos muy cordialmente.

CASO PRÁCTICO 6

ORDENE LA CARTA: 2, 9, 6, 3, 5, 10, 4, 1, 7, 8.

EN RESUMEN
Antes de iniciar cualquier trato con empresas que no conocen, los proveedores necesitan datos sobre la seriedad y solvencia de las mismas, para tener así la seguridad de que sus facturas serán pagadas.
A una empresa con la que el cliente ya ha comerciado y que, por lo tanto, puede informar de su solvencia.
Para que no se sepa quién ha brindado los informes, especialmente si son desfavorables.
Si son favorables, aceptará el pedido. Si no lo son, actuará con prudencia: no servirá el pedido o lo aceptará pero exigiendo el pago anticipado de la mercancía.
La solvencia, la forma de atender los pagos, el capital.

CARPETA DE PRÁCTICAS

Ejercicio a
Respuesta favorable: 10, 6, 3, 14, 4, 8, 1, 7.
Respuesta desfavorable: 12, 13, 15, 2, 11, 5, 9.

Ejercicio c
Lamentar, puntual, dudosa, beneficiar, desfavorable, prosperar, con precaución, conceder un crédito importante, contestable, seriedad.

Ejercicio d
Es una empresa que prospera. En ocasiones, han actuado de forma contestable. Su seriedad siempre ha beneficiado su reputación. Su rectitud es muy dudosa. Son muy puntuales en los pagos de sus deudas. Es preferible actuar con precaución. Pueden concederles un crédito importante.

Ejercicio e
Comportamiento, conducirse, riesgo, incumplir, perjuicio, responsabilizarse, desconfianza, comprometerse, deuda.

Ejercicio f
Obrar, rectitud, informal, cautela, firma, sospechoso.

Ejercicio g
Satisfacer una deuda, cumplir con sus obligaciones, liquidar una cuenta, conceder un crédito, mantener relaciones comerciales, efectuar un pago.

CARPETA DE GRAMÁTICA

Ejercicio a
Meticulosamente, reiteradamente, satisfactoriamente.

Ejercicio b
Satisfactoriamente, meticulosamente, reiteradamente.

Ejercicio c
Sólo, por consiguiente / de hecho / con frecuencia / a su debido tiempo, excepto / en la actualidad / debido a.

Ejercicio d
Formal y honradamente, cautelosa y prudentemente, sincera y objetivamente.

CASO PRÁCTICO 7

ORDENE LA CARTA: 6, 8, 3, 2, 4, 1, 7, 5.

EN RESUMEN
El cumplimiento de un pedido.
Si ya es cliente suyo, conoce su solvencia, y actuará como de costumbre. En cambio, si se trata de un primer pedido, el proveedor solicitará referencias al cliente y, según los informes obtenidos, aceptará o no el pedido.
El contenido es muy conciso. Contiene los datos más importantes expuestos de forma corta y directa. El tono es cortés.

CARPETA DE PRÁCTICAS

Ejercicio a
Todas las combinaciones son posibles. Pero: "hemos entregado a" sólo se combina con "la compañía Entreguiberia" y "nuestro repartidor"; "su orden n.°" sólo se combina con "los siguientes artículos " y "los géneros indicados al pie".

Ejercicio b
1, 2, 3, 6 / 1, 2, 6 / 3, 6 / 3, 6 / 3, 4 / 3, 6 / 5.

Ejercicio c
Debido a la fuerte demanda, no estamos en condiciones de servir la totalidad de su pedido n.° AD-55.
A consecuencia de una avería en nuestros talleres, nos vemos obligados a diferir la remesa de las mercancías.
Circunstancias imprevistas nos impiden despachar los géneros.
Por falta de existencias, hemos tenido que demorar la expedición.
Motivos ajenos a nuestra voluntad nos obligan a cancelar su orden n.° 22.

Ejercicio d
Imposibilitar - impedir / remesa - expedición / problema - dificultad / excusa - disculpa / cumplir - cumplimentar / satisfacción - agrado / diferir - aplazar / ejecutar - servir / demora - retraso / acabar - agotar / despachar - expedir / anular - cancelar.

Ejercicio e
Impedimento, existencias, demora, despachar, expedición, cumplimentar.

claves

CARPETA DE GRAMÁTICA

Ejercicio a
Estamos, será, es, estamos, son, está, sido, estarán, está.

Ejercicio b
Es imposible, está agotado, está verde, es impermeable, estamos convencidos.

CASO PRÁCTICO 8

ORDENE LA CARTA: 6, 3, 1, 10, 7, 4, 8, 5, 9, 2.

EN RESUMEN
Porque algunos de los artículos que ha recibido no se corresponden con los que solicitó.
Sí, es la mejor solución.
Muy cortés y directo.
Una confusión con el pedido de otro cliente.
Quedarse los que ha recibido si el proveedor le concede un descuento sobre los mismos.
Presentará disculpas y enviará los libros encargados.

CARPETA DE PRÁCTICAS

Ejercicio a
Todas las combinaciones son correctas.

Ejercicio b
Introducir la reclamación: 2, 11, 13, 15.
Causas de la reclamación: 1, 3, 4, 6, 8, 9, 10, 12.
Propuesta de arreglo: 5, 7, 14, 16.

Ejercicio c
Mercancía en mal estado: 12 / 5, 7.
Mala calidad de la mercancía: 6 / 5, 7.
Cantidad errónea: 10 / 5, 14.
Producto equivocado: 1, 9 / 5.
Precios diferentes de los acordados: 4 / 7, 16.
Descuento concedido no incluido: 8 / 16.
No recibe la mercancía: 3 / 14.
El cliente pagará la factura.

Ejercicio d
Alivio, disgustado, perjudicar, agrado.

Ejercicio e
Avería, deterioro, defecto, decoloración, mancha, deformación, daño, rotura.
La palabra es RECLAMAR.

Ejercicio f
Muebles: arañados, rayados, rotos, mojados, incompletos, desarmados...
Libros: mojados, húmedos, páginas arrancadas, rayados, páginas plegadas, manchados...
Cuadros: arañados, rayados, mojados, húmedos, manchados, deformados, doblados...
Botellas de aceite: abiertas, deformadas, aplastadas, etiqueta rota, medio vacías...
Latas de guisantes: abolladas, etiqueta despegada...
Madejas de lana: desteñidas, mojadas, húmedas, sucias...
Productos congelados: descongelados, bolsas rotas o abiertas, aplastados...

CARPETA DE GRAMÁTICA

Ejercicio a
Dos de las baldas que nos han mandado no eran del color solicitado.
A una de las enciclopedias que Correos nos ha entregado le faltaban las 20 primeras páginas.
Sólo hemos recibido 9 estufas referencia PLMO6 de las 10 que les pedimos.
Les reenviamos las prendas en las que hemos notado defectos.

Ejercicio b
Les devolvemos su factura de cuyo importe les rogamos deduzcan el descuento otorgado.
Les reexpedimos dos juegos de sábanas cuyos colores difieren de los del catálogo.
Les retornamos dos diccionarios cuyas tapas estaban dobladas.
No podemos aceptar el retraso cuyo motivo no nos ha sido comunicado con la suficiente antelación.

claves

CASO PRÁCTICO 9

ORDENE LA CARTA: 4, 6, 1, 8, 5, 2, 7, 3.

EN RESUMEN
Presentar excusas por las molestias ocasionadas e indicar que el error ha sido subsanado.
Reconoce el error.
Su objetivo es no perder al cliente.
Dos días.
Muestra su seriedad y diligencia.
Satisfecho por la prontitud del proveedor.
Muy cortés, ya que se reconoce el error cometido para no perder al cliente.

CARPETA DE PRÁCTICAS

Ejercicio a
MERCANCÍA DAÑADA: embalaje poco resistente, mercancía mal acondicionada, accidente de circulación sufrido por el transportista, malos tratos por parte de la compañía de transporte, caídas de las cajas durante el transporte.
PRECIOS MÁS ALTOS: olvido por parte de la secretaria.
ERRORES: descuido por parte del departamento de expedición, olvido por parte de la secretaria, mala interpretación de las condiciones de venta.
AVERÍAS: mal uso de la máquina, defecto de fabricación, caídas de las cajas durante el transporte.
RETRASOS: huelga, avería en la cadena de producción, descuido por parte del departamento de expedición, olvido por parte de la secretaria, falta de existencias.

Ejercicio b
Ejemplos de frases:
Los errores que ustedes han notado en la factura son debidos a una mala interpretación de las condiciones de venta.
Los retrasos han sido causados por una huelga.
Los daños en la mercancía son consecuencia de un embalaje poco resistente.
Los precios más altos en su última factura son consecuencia de un error por parte de la secretaria.
Los daños han sido originados por un accidente de circulación sufrido por el transportista.
La falta de existencias ha provocado los retrasos.
Los errores resultan de un descuido por parte del departamento de expedición.
Etc.

Ejercicio c
No podemos asumir: los perjuicios sufridos, los daños causados, estos problemas ajenos por completo a nuestra voluntad.
Estamos dispuestos a: acceder a su demanda.
Aceptamos: su reclamación, la devolución de los artículos, la responsabilidad de los daños.
Nos es imposible hacernos responsables de: los perjuicios sufridos, las molestias originadas, esta avería por mal uso, los daños causados, estos problemas ajenos por completo a nuestra voluntad.
Uds. serán compensados por: los perjuicios sufridos, las molestias originadas, los daños causados.
Vamos a resarcirles de: los perjuicios sufridos, las molestias originadas, los daños causados.
Declinamos la responsabilidad de: los perjuicios sufridos, las molestias originadas, los daños causados.
No podemos aceptar: su reclamación, la devolución de los artículos, la responsabilidad de los daños.
Estamos dispuestos a indemnizarles de: los perjuicios sufridos, las molestias originadas, los daños causados.

Ejercicio d
El proveedor acepta la reclamación: estamos dispuestos a..., aceptamos..., uds. serán compensados por..., vamos a resarcirles de..., estamos dispuestos a indemnizarles de...
El proveedor no acepta la reclamación: no podemos asumir..., nos es imposible hacernos responsables de..., declinamos la responsabilidad de..., no podemos aceptar...

Ejercicio e
Ejemplos de frases:
Los errores que ustedes han notado en la factura son debidos a una mala interpretación de las condiciones de venta, por lo tanto no podemos aceptar su reclamación.
Los retrasos han sido causados por una huelga, por consiguiente, declinamos la responsabilidad de los perjuicios sufridos.
Los daños en la mercancías son consecuencia de un embalaje poco resistente, de modo que estamos dispuestos a indemnizarles de los perjuicios sufridos.
Los daños han sido originados por un accidente de circulación sufrido por el transportista. Por tanto, declinamos la responsabilidad de los daños causados.
La falta de existencias ha provocado los retrasos. Por consiguiente, estamos dispuestos a acceder a su demanda.
Los errores resultan de un descuido por parte del departamento de expedición. Por consiguiente, Uds. serán compensados por las molestias originadas.
Etc.

Ejercicio f
Les rogamos disculpen: 3.
Les pedimos / Les presentamos: 1, 2.
Rogamos acepten nuestras: 2.
Le rogamos perdone: 3.

Ejercicio g
Agrado - descontento / dañar - reparar / resolver - dejar pendiente / tardanza - puntualidad / coincidir - discrepar.

Ejercicio h
Las formas correctas son: arreglo, erróneo, de buena calidad, cubrir los daños, litigio, cantidad, embalaje, equivocación.

Ejercicio i
Indemnizar: indemnización / compensar.
Aceptar: aceptación / admitir.
Rechazar: rechazo / rehusar.
Omitir: omisión / no tener en cuenta.
Acordar: acuerdo / convenir.
Comprobar: comprobación / verificar.

CARPETA DE GRAMÁTICA

Ejercicio a
Inaceptable, inadecuado, imprevisto, incompleto.
Desagrado, desconocer, desempaquetar, descortesía.
Disconforme, disculpa, disimilitud, disgustar.

Ejercicio b

Disculpas, imprevisto, desconocemos, incompleta, desagrado, disconformes, inadecuado, disimilitud, descortesía, inaceptable, disgustado.

CASO PRÁCTICO 10

ORDENE LA CARTA: 3, 6, 5, 8, 9, 7, 1, 2, 4.

EN RESUMEN
La cancelación de una deuda.
La factura de referencia y el importe.
Para evitar cualquier error y que la cantidad quede bien destacada.
La introducción y la conclusión son muy cortas. El tono es cortés.

CARPETA DE PRÁCTICAS

Ejercicio a
Nos permitimos recordarle, pendiente, liquide, cantidad, atención.
Referimos, contestación, de nuevo, abone, asciende.
Haber contestado, recordatorios, sentimos, recibir, plazo, procedimientos.

Ejercicio b
Plazos razonables: 1 semana entre cada carta.
1. Actuará como de costumbre.
2. El cliente es un poco moroso, el proveedor podrá volver a reclamar el pago telefónicamente. Para los próximos pedidos, deberá, al aceptarlos, subrayar las condiciones de pago.
3. El cliente es moroso. Para los próximos pedidos, el proveedor podrá exigir el pago anticipado de la mercancía. También podrá no aceptar futuros pedidos.
El cliente es muy moroso, el proveedor acudirá a un abogado o al "Cobrador del frac" si el importe de la deuda es muy elevado.

Ejercicio c
Distinguidos señores: Junto con la presente les remitimos un cheque del Banco Elduro por importe de 74.242 pesetas (setenta y cuatro mil doscientas cuarenta y dos) como pago de su factura número 147. Atentamente,
n.° = número, Atte. = Atentamente, impte. = importe, Bco. = Banco, ch/ = cheque, s/fra. = su factura, ptas. = pesetas.

Ejercicio d
A, con cargo a, contra, por, cargo, deudor, asciende, recordatorio.

Ejercicio e
1 = giro postal / 2 = transferencia bancaria / 3 = cheque, talón / 4 = contrarreembolso / 5 = letra de cambio.

claves

Ejercicio f
F, V, V, F, F, V, V, V, F.

Ejercicio g
Suma - cantidad / pagar - abonar / valor - importe / deber - adeudar / importar - ascender / girar una letra - librar un efecto / letrado - abogado / recurrir a - acudir a / liquidar - saldar.

CARPETA DE GRAMÁTICA

294: doscientas noventa y cuatro / 39.014: treinta y nueve mil catorce / 15.941: quince mil novecientas cuarenta y una / 3.900.040: tres millones novecientas mil cuarenta / 29.013: veintinueve mil trece / 1.112: mil ciento doce / 43.210: cuarenta y tres mil doscientas diez / 923.288: novecientas veintitrés mil doscientas ochenta y ocho / 1.032.101: un millón treinta y dos mil ciento una / 12.080.003: doce millones ochenta mil tres / 707.552: setecientas siete mil quinientas cincuenta y dos / 3.001.014: tres millones mil catorce.

CARTAS HISPANOAMERICANAS

MÉXICO

a) Anunciar: 1 - Pedir / Solicitar: 3, 4, 10 - Rogar: 6,13 - Dar las gracias: 2, 5, 9, 12 - Adjuntar documentación: 8, 11 - Expresar un deseo: 7.
b) Me complace remitirles... / Me es grato acusar recibo de... / Por medio de la presente...
c) Solicito, por medio de la presente... o Aprovecho la oportunidad para solicitarle ... / Me refiero a su atento escrito del 7 del actual en el que amablemente me informa sobre... / Agradeciendo la atención que conceda a esta solicitud... / Le ruego se sirva hacerme llegar copia del acta de la reunión del 15 de abril.